D0608435

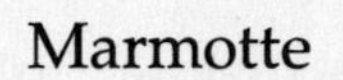

Marmotte

Du même auteur chez le même éditeur

Mon frère de la planète des fruits, roman, 2001

Pourquoi j'ai tué mon père, roman, 2002

Aux Éditions des Glanures

Horresco referens, théâtre, 1995

Contes Cornus, légendes fourchues, théâtre, 1997

Louis Cyr, théâtre, 1997

Marmotte, roman, 1998

PERRO

Marmotte

roman

Nouvelle édition revue et corrigée

Les Éditions des Intouchables bénéficient du soutien financier de la SODEC, du Programme de crédits d'impôt du Gouvernement du Québec, du PADIÉ et sont inscrites au Programme de subvention globale du Conseil des Arts du Canada.

LES ÉDITIONS DES INTOUCHABLES
4674, rue de Bordeaux
Montréal, Québec
H2H 2A1
Téléphone : (514) 529-8708
Télécopieur : (514) 529-7780
intouchables@yahoo.com
www.lesintouchables.com

DISTRIBUTION : DIFFUSION PROLOGUE
1650, boulevard Lionel-Bertrand
Boisbriand, Québec
J7H 1N7
Téléphone : (450) 434-0306/1-800-363-3864
Télécopieur : (450) 434-2627/1-800-361-8088

Impression : AGMV-Marquis
Infographie et
maquette de couverture : Marie-Lyne Dionne
Photographie de la couverture : Cathy Duchesne

Dépôt légal : 2002
Bibliothèque nationale du Québec
Bibliothèque nationale du Canada

Première édition : 1998

ISBN 2-89549-062-7

Pour Anne
… comme un million d'étoiles.

Je suis de mon enfance comme d'un pays.

ANTOINE DE SAINT-EXUPÉRY
Pilote de guerre

1

J'habite au sous-sol. Je demeure dans la terre. Le sous-sol, c'est en dessous du sol. Marmotte. J'aime bien les marmottes ; elles se font des trous qui descendent dans la terre. Elles creusent et creusent encore, sans cesse, toujours plus profond. Les marmottes ont des yeux qui voient dans le noir. De petits yeux qui creusent dans le noir. Il fait noir dans les trous, il fait noir dans ma chambre. J'ouvre une trappe dans le plancher de la véranda et je descends dans mon trou. C'est une porte en bois qui crie. Lorsque j'entre dans mon trou, la trappe me dit de faire attention à l'escalier. Les marches veulent toujours me faire tomber. Elles se tordent, bougent et poussent des grincements pour me faire peur afin que je fasse un faux pas. Je ne tombe plus depuis longtemps. Je me dépêche de descendre. Si je m'attarde, il y a des mains qui sortent d'entre les marches. Elles ont déjà attrapé une de mes chevilles. Ce sont les mains du Bonhomme Sept-Heures. La sorcière me l'a dit. Il se cache et il m'attend. Je passe par un tunnel pour atteindre mon lit. Si les enfants ne sont pas couchés à sept heures, le Bonhomme Sept-Heures sort pour les manger. Le Bonhomme Sept-Heures a une grande barbe noire et des boudins dans les cheveux. C'est parce qu'il est Suif. La sorcière me l'a dit. Il habite de l'autre côté de la rue. Il est de la race des Suifs qui portent toujours des vêtements noirs. Je le vois passer souvent, avec son long manteau noir sur le dos. Il a une grande barbe aussi. Une barbe raide comme la brosse avec laquelle je frotte les planchers. Le Bonhomme Sept-Heures, je préfère l'appeler « monsieur Boudin ». J'ai une cachette sous le balcon de la maison de monsieur Boudin. Les marmottes sont rusées. Jamais le Bonhomme Sept-Heures-monsieur-Boudin ne va penser que je me cache parfois chez lui. Lui, il se cache bien chez moi pour me faire peur. Alors, pourquoi je ne le ferais pas aussi ? L'autre jour, j'ai marché sur sa main. Caché sous l'escalier, agrippé à une marche, il attendait que sept heures arrivent pour m'attraper et me manger. Je descendais dans mon trou, il a poussé un petit cri aigu et puis plus rien. Le lendemain, j'ai vu un rat mort sous l'escalier. Monsieur Boudin s'était transformé en rat pour mieux me mordre. Je crois que je l'ai tué. Un coup de talon bien placé et voilà le travail ! Je sais qu'il n'est pas vraiment mort, Boudin : par une des fenêtres de sa maison, je le vois encore tous les jours faire ses prières. Je l'espionne. Je me fais croire que je l'ai tué, ça me fait du bien. Je sais qu'il fait des prières au Diable parce que lorsqu'il passe dans la rue, devant chez moi, la sorcière murmure toujours : « Va au Diable, maudit Suif ! » Moi, les Bonhomme Sept-Heures me font très peur. Les monsieur Boudin aussi.

Les marmottes peuvent voir leur ombre quand, au printemps, elles sortent de leur cachette. Moi, je ne vois jamais rien. C'est parce que je ne suis pas réellement une marmotte. Je fais semblant. Par contre, si j'étais un vrai humain, je ne voudrais pas aller dormir dans un trou. Les trous, c'est pour les morts. Je le sais parce que j'ai vu la sorcière dans son trou. Maintenant elle est dans la terre. Comme moi. Je sens sa présence. Le soir, lorsque je me couche, je peux la voir. C'est une marmotte, elle aussi. Ils l'ont enterrée dans un long coffre en bois. Moi, je criais :

— Non !!! non !!! C'est dans un coffre en fonte qu'il faut la mettre !

Personne ne m'écoute jamais. Les marmottes, ça fait des trous dans leur coffre en bois et, après, ça creuse. Ensuite, ça fait quoi, les marmottes ? Ça cherche d'autres marmottes comme moi, c'est évident. Personne ne m'écoute jamais.

Il y a les patates aussi. Ça pousse où, les patates ? Sous la terre, avec les marmottes ! Il y a tant de choses sous la terre qu'un jour elles finissent toutes par se rencontrer. Je peux me faire croire qu'on écrase le Bonhomme Sept-Heures d'un coup de talon mais, les patates, elles, si on les écrase, ça fait de la purée de patates. Ce sont toujours des patates. Les patates, elles ont des yeux. Comme les marmottes, elles voient dans le noir. Moi, quand je dis que je suis une marmotte, c'est une petite blague. C'est parce que je dors dans un trou avec des patates. Il y a mon lit et à côté se trouve un tas de patates. C'est là qu'elles se font leurs yeux, les patates. De longs yeux blancs qui poussent partout sur elles. La nuit, quand il fait noir, les yeux me regardent. Les marmottes mangent des patates. Moi, je mange des patates, donc je suis une marmotte. C'est simple. Les marmottes dorment dans des trous, je dors dans un trou, donc je suis une marmotte. C'est simple. Tout ce qui vit sous terre peut voir dans le noir. Les patates vivent sous terre, donc elles peuvent voir dans le noir. Et si elles peuvent voir dans le noir, c'est parce qu'elles ont des yeux. C'est simple. La sorcière a creusé un tunnel et elle est venue pourrir dans le bac en bois, comme les patates. Dans les yeux des patates, il y a aussi les yeux de la sorcière. Je le sais. Personne ne m'écoute jamais.

Lorsque je me couche, ça commence toujours par un bruit. Une vibration qui fait trembler la maison. Tarzan dit que c'est la fournaise à l'huile qui gronde. Moi, je sais que ce n'est pas vrai. Les animaux sauvages grondent, pas les fournaises à l'huile. Le chien de Ti-Caille du quartier Lévis gronde, pas les fournaises à l'huile. Tarzan gronde quand il monte voir la reine d'Angleterre après Lâké, pas les fournaises à l'huile. La vibration est comme un souffle de dragon : une longue respiration de sorcière qui aspire avant de cracher une salive noire, noire comme le chapeau de monsieur Boudin. C'est la sorcière qui respire. Je le sais. Elle prend de très longues inspirations, la sorcière. Après, elle continue à pourrir. Je le sais parce que ça sent. Je la respire, la vieille folle. Moi, je ne vois pas bien la nuit mais je peux sentir les odeurs.

Avant de mourir, la sorcière m'a dit :

— Je vais revenir te voir, gros lâche. Je vais te regarder à travers les yeux des patates.

Tout ce qu'elle a dit, la sorcière, elle l'a toujours fait. Chaque fois qu'elle a dit : « Je vais te battre », elle m'a battu. Il faut la croire, la sorcière. Lapute aussi fait toujours ce qu'elle dit. C'est comme ça de mère en fille. Lapute me bat aussi, mais elle frappe moins fort que ne le faisait la sorcière. C'est plus plaisant. C'est comme une caresse. La sorcière me frappait avec une ceinture de cuir. Ça pince. Lapute, elle, me frappe avec la verge. Une verge, c'est un bâton qui sert à frapper les enfants qui font pipi au lit. C'est un long bâton sur lequel il y a des mesures. Tarzan dit que c'est pour prendre des mesures spéciales. Des mesures disciplinaires, qu'il dit. Je ne comprends pas mais c'est censé être efficace. Ça marche pour tous les enfants sauf pour moi. C'est parce que je suis une marmotte. Personne ne m'écoute jamais.

J'ai dit à Lapute que la sorcière venait me voir tous les soirs et qu'elle me respirait dans les oreilles. Alors, elle m'a donné des coups de verge pour que j'apprenne le respect.

— On n'enseigne pas le respect aux marmottes..., que je lui ai dit.

Alors, Tarzan a repris la verge. Le respect, c'est ça. J'ai compris après. Le respect, c'est quand Tarzan prend la verge. Ça fait mal, le respect. Chaque fois que les marmottes apprennent le respect, elles se cachent ensuite toute la journée dans leur trou. C'est mieux comme ça. Ça fait moins mal.

Il faudrait que j'enseigne le respect aux patates pour qu'elles arrêtent de me faire peur, pour qu'elles ferment leurs yeux de sorcière. Comme je ne peux pas, je reste caché dans mon lit, sous les couvertures.

Tous les soirs, les yeux de la sorcière me regardent. Ils sont fixes. J'ai peur. Si j'avais une verge moi aussi, les choses seraient différentes. Je lui enseignerais le respect, à la sorcière. Mais au lieu de ça, je fais pipi. Ça sort tout seul. Je me retiens, mais ça sort tout seul. Les marmottes font pipi dans leur trou comme les chiens font pipi sur les poteaux. J'aime les patates. Quand je mange des patates, c'est la sorcière que je mange. Les marmottes sont de fameuses mangeuses de patates. Un jour, j'enseignerai le respect comme Tarzan. Je deviendrai Tarzan. En attendant, je fais pipi dans mon lit tous les soirs. C'est chaud. Quand c'est chaud dans le lit, j'oublie les yeux de la sorcière. Je me mets en boule et je fais pipi. C'est tellement chaud que je m'endors. Je suis une marmotte qui a chaud. Chaque matin, c'est la verge qui me réveille. La peur, le pipi, la verge. Je pense que c'est le cercle visqueux. Je ne comprends pas très bien. Les marmottes font toujours la même chose. Les marmottes ne comprennent jamais rien.

2

Tarzan travaille en Afrique. Il a deux couleurs, Tarzan : blanc le matin et noir le soir. C'est loin, l'Afrique. C'est pour ça que je ne le vois pas souvent, Tarzan. Il prend l'autobus pour l'Afrique tous les matins. Il se lève quand il fait encore noir. Il fait toujours noir dans un trou de marmottes. Quand il marche au-dessus de ma tête, je sais que c'est le matin. Les planches de mon toit craquent. Mon toit, c'est le plancher de Tarzan. C'est toujours froid quand je me réveille. Le pipi, c'est chaud quand on s'endort, mais c'est froid quand on se réveille. La seule façon d'avoir chaud, c'est de refaire pipi. « Encore du lavage, maudit cochon ! » Ça me fait rire quand Lapute dit ça. C'est drôle, ça, « maudit cochon ». Puis c'est la verge.

Tarzan met toujours ses grosses bottes quand il part pour l'Afrique. J'ai déjà vu des images de l'Afrique dans un magazine de femmes à poil. C'est beau, l'Afrique. Tarzan travaille avec des gens qui sont noirs comme l'Afrique. C'est beau, il y a toutes sortes d'animaux là-bas et ils se promènent tous avec une femme à poil à côté d'eux. Ils doivent trouver ça difficile, les lions et les girafes, de ne jamais avoir la paix. Par contre, je n'ai pas vu de marmottes dans le magazine. Les marmottes, c'est pour le Canada ; les singes, c'est pour l'Afrique. L'eau des toilettes fait un tourbillon. Je l'entends couler dans le tuyau qui est juste à côté de mon lit. L'eau qui coule dans le tuyau s'en va dans la terre pour nourrir les arbres. L'eau qui coule de mon tuyau s'en va dans les draps pour nourrir le lavage. J'ai encore fait pipi. J'avais froid. « Maudit cochon ! » C'est drôle, ça, « maudit cochon ».

La porte se ferme. Il est parti. Tarzan passe toutes ses journées là-bas, en Afrique. C'est plus chaud. Il se fait bronzer, c'est pour ça qu'il est tout noir quand il revient à la fin de la journée. Le soleil, ça noircit. C'est comme le pain qu'on laisse trop longtemps dans le grille-pain. Ça noircit. L'Afrique, c'est un grille-pain pour les hommes. Ça grille, même sous les ongles, en plus de laisser des traces noires dans les plis de la peau. Tarzan prend toujours trois bains quand il revient d'Afrique. Un avant de manger. Un autre après avoir mangé. Et un dernier avant d'aller dormir. Déjà au deuxième bain il est tout blanc mais, pendant la soirée, le noir ressort de la peau. « Va te laver, maudit cochon ! » C'est drôle, ça. Lapute ne dit pas ça à Tarzan parce qu'elle s'est trop souvent fait enseigner le respect. C'est à moi qu'elle dit ça. Surtout quand je me roule dans le sable pour faire semblant que je travaille en Afrique. Tarzan se lave pour ne pas salir les draps. Salir les draps égale la verge. Je le sais. C'est toujours la même chose. Quand je dis à Lapute que je veux aller travailler en Afrique comme Tarzan, elle me dit d'arrêter de dire des bêtises. Elle hurle que je suis un innocent. Je ne suis pas un innocent, je suis une marmotte. Elle est jalouse de Tarzan parce que, lui, il fait des choses utiles. Il fabrique du temps. Lapute ne fait rien, elle fait le ménage. Quand elle fait le ménage, c'est moi qui frotte.

Tarzan travaille en Afrique avec des Noirs dans une grosse horloge, sous le soleil. Il fait du temps. C'est lui qui fait avancer les aiguilles de toutes les horloges du monde. Il tourne les aiguilles pendant huit heures le samedi et le dimanche, et pendant douze ou seize heures les autres jours de la semaine. Je le sais parce que, dans la semaine, lorsqu'il rentre à la maison, il dit à Lapute :

— Ta gueule ! J'ai fait seize heures aujourd'hui !

Il fait du temps. Il est toujours fatigué parce qu'il est long, le voyage pour aller en Afrique et en revenir. Quand on travaille à la chaleur, on a soif. C'est pour ça que Tarzan boit beaucoup de bière. Il travaille sans arrêt. C'est normal, on ne peut pas arrêter le temps. Le temps, c'est comme la bière, ça coule. C'est comme le pipi, ça coule. Le pipi dans les draps, c'est comme la bière dans l'estomac, ça aide à dormir. Ça tient au chaud. Marmotte.

3

Il n'est pas patient, Tarzan, quand il fait seize heures. En Afrique, la patience, ça n'existe pas. On n'a pas à être patient en Afrique, on travaille. Quand on travaille, on s'occupe. Quand on s'occupe, on ne fait pas de bêtises. Lapute me le répète sans arrêt. Je suis bon pour frotter. Je frotte tout le temps. Les marmottes font toujours la même chose. On frotte pour ne pas faire de bêtises. On s'occupe. Les maudits cochons, si ça veut rester des maudits cochons, il faut que ça lave pour salir. La saleté, c'est comme le pipi, il faut toujours la frotter. Alors, on frotte. Frotter, c'est comme le pipi, ça donne chaud. C'est comme la bière. « T'es encore chaud ! » Lapute dit ça à Tarzan. On se réchauffe comme on peut. Moi, je déteste frotter. Quand je ne frotte pas, je vais dehors me rouler dans le sable. J'aime le sable.

Après, c'est comme si j'avais travaillé en Afrique. L'autre jour, j'ai pris trois bains. Comme Tarzan. Elle criait, Lapute. Elle disait que j'étais un maudit cochon. J'aime ça, « maudit cochon ». C'est drôle. Je me suis roulé dans le sable et, comme toutes les marmottes, j'ai fait des trous. Ensuite le bain. Dans le sable… et le bain ! Encore une fois dans le sable et un autre bain ! Lorsque Tarzan est revenu de son travail, il m'a enseigné le respect. Je ne comprends rien. Les marmottes ne comprennent pas le respect. Lapute a dit que je me souviendrais longtemps de quelque chose. Je ne me rappelle plus ce que c'était mais, depuis ce temps-là, je frotte. Frotter, ça occupe.

Tous les jours, je frotte. Je frotte même quand c'est propre. Ça occupe. Je frotte les bottes, les planchers, les marches de l'escalier. Je frotte toujours à quatre pattes. Je ne peux pas frotter plus haut, je suis une marmotte. Ça rampe, une marmotte. Ça reste au niveau de la terre. Ça frotte et ça creuse. Ma sœur fait toujours exprès pour ne rien faire. C'est une reine. Ma sœur ne frotte pas. Elle s'occupe à être la reine. Elle ne fait pas de bêtises, elle s'occupe à ne rien faire comme une reine. C'est une reine d'Angleterre. Elle garde ses souliers pour marcher sur le plancher. Moi, je frotte. Elle marche, je frotte. Lapute l'habille toujours en reine d'Angleterre. Lorsqu'elle me parle, la reine, je ne comprends jamais rien. « Tu comprends rien », qu'elle me dit. C'est normal, elle parle reine d'Angleterre et, moi, je parle marmotte. C'est pour ça que je ne comprends rien. Elle a une perruque blonde comme le soleil, la reine. C'est sa couronne de reine d'Angleterre. Avant que ses vrais cheveux tombent, ils étaient blonds aussi. Le gros docteur Lamontagne dit que ses cheveux sont tombés parce qu'elle est trop matisée. Mes cheveux à moi sont bruns comme une patate. Normal. Je vis sous terre. La reine vit au deuxième, ce n'est pas pareil. Quand elle monte les marches, je regarde sous sa jupe. Je sais pourquoi elle ne fait jamais pipi au lit. C'est un secret. Je ne veux pas lui faire de la peine, à la reine. Elle n'est pas normale. Il lui manque un morceau. C'est quand même bizarre. « Va-t'en de là, maudit cochon ! » qu'elle me crie, Lapute, quand elle me voit faire. « Maudit cochon ». C'est drôle, ça.

Une fois je suis monté chez la reine, au deuxième, et je me suis habillé en reine d'Angleterre. J'ai ouvert tous les tiroirs et j'ai mis tous ses vêtements. Les uns par-dessus les autres. Je lui ai même volé une de ses perruques de reine que j'ai cachée ensuite sous le balcon de monsieur Boudin. En sortant de chez la reine, je suis tombé dans l'escalier, mais je ne me suis pas fait mal. Mon costume de reine était assez épais pour me protéger. Les marches avaient fait exprès pour me faire tomber. Puis je suis allé dehors pour mieux faire la reine. Pour parader. Je voulais faire rire les frères Boisvert avec qui je joue souvent à casser des vitres. J'ai pensé que ça serait drôle de leur faire une danse costumée. Ils se sont jetés sur moi en me traitant de tapette et de Ti-Guy Ratatouille, ce qui revient au même. J'ai été obligé de me battre et de leur casser la gueule. Je peux les battre facilement à poings nus. C'est quand ils ont leurs bâtons de baseball que, là, ils deviennent invincibles. Après leur fuite, je suis resté seul et j'ai fait la marmotte dans le sable. Je voulais jouer à être Tarzan. Je voulais prendre un bain. La reine m'a vu faire la marmotte avec ses vêtements et elle l'a dit à Lapute. Et il est arrivé quoi ? La verge ! J'ai couru très vite mais la verge m'a quand même rattrapé. Ça court vite, une verge, quand le respect est en colère. Alors, je frotte encore. Je frotte parce que ça occupe. Les marmottes, il faut les tenir occupées parce que, sinon, elles se prennent pour la reine d'Angleterre. Ce n'est pas bien pour la vraie reine. Elle est fâchée contre moi, la reine. Ça ne me dérange pas. Elle pense qu'elle est normale. Elle ne peut pas faire pipi au lit et elle pense qu'elle est normale. Je sais un secret. Un jour, je le lui dirai. De toute façon, elle ne comprendra pas. Je parle marmotte, moi, pas reine d'Angleterre. Je frotte. J'ai hâte de manger des patates.

4

J'habite une ville de pauvres. Une ville de pauvres types. C'est la sorcière qui disait toujours ça. Elle disait : « Tous les hommes ici sont des pauvres types ! » La sorcière, c'était ma grand-mère. C'est comme ça que Tarzan l'appelait toujours. Il l'appelait aussi « la folle », « la chipie », « la vieille », « la vache » mais, plus souvent qu'autrement, c'est « la sorcière » qui revenait. La sorcière, elle ressemblait comme deux gouttes d'eau à ma ville. Quand je la regardais, c'est comme si je regardais une carte.

Franchement, ma ville n'est pas très belle à voir. On a plus envie de l'éviter que de rentrer dedans. Si ma ville ressemblait à une jeune actrice américaine, on aurait plus envie de rentrer dedans. Il paraît que c'est une blague cochonne, ça. Normal. De temps en temps, je suis un maudit cochon. C'est drôle, ça, « maudit cochon ». Je ne la comprends pas, la blague. Les marmottes ne parlent pas le cochon. Il paraît qu'il faut passer beaucoup de temps à la taverne pour comprendre le langage des cochons. J'aimerais bien être un vrai cochon un jour. Ils sont toujours heureux, les cochons. Ils crient, ils chantent, ils boivent de la bière et ils se tapent sur la gueule. C'est pour ça que je mange comme un cochon et que je regarde sous la jupe de la reine d'Angleterre. Mais un maudit cochon, ce n'est pas encore un vrai cochon.

La bedaine de la sorcière était comme un quartier populaire. Je sais ce que c'est, un quartier populaire. C'est un quartier de pauvres. Je l'ai appris à l'école. La bedaine de la sorcière devenait de plus en plus ronde. Elle avait des arrondissements. Elle avait un problème de taille. Il paraît qu'une bedaine qui a un problème de taille, c'est un calembour. Un calembour, c'est quand je dis quelque chose et que tout le monde se met à rire autour de moi. Je ne sais jamais ce qu'il y a de drôle, mais je ris toujours avec eux. Je fais souvent des choses sans comprendre pourquoi je les fais. Ce n'est pas important, les marmottes ne comprennent jamais rien.

Du ventre de la sorcière, de ses muscles abominaux, partaient des routes. Il y en avait partout. Elles partaient du quartier populaire pour aller ensuite partout dans la ville. On voyait même des routes bleues à travers la peau de ses mains, de ses jambes et surtout de son cou. Ce n'était pas très beau à voir, toutes ces routes. Chaque fois que tout était bouché dans la sorcière, le gros docteur Lamontagne venait à la maison. « Quand il y a trop de circulation, ça fait des bouchons ! » C'est ce que le gros docteur Lamontagne disait toujours. Quand elle était complètement bouchée, la sorcière, le gros docteur Lamontagne riait en criant : « C'est sans bon sang ! Vous n'avez pas de veine dans la vie ! » Il se trouve toujours très drôle. Je ne comprends jamais rien à ce qu'il raconte. Le gros docteur Lamontagne parle le calembour. Je pense qu'il est comme moi : il rit avec les autres sans comprendre lui-même ce qu'il dit.

La circulation débouche ensuite dans les artères principales. C'est comme ça que le docteur a expliqué la maladie de la sorcière. La circulation dans les artères qui mènent au cœur de la ville, ça pousse, ça pousse, c'est pressé, ça fait de la pression. Plus il y a de la pression, plus le cœur pompe ; plus le cœur pompe, plus le cœur risque de basculer. On risque la crise cardiobasculaire. Il lui a dit :

— À votre âge, votre cœur est comme la bombe que les Américains ont lancée sur les Jaunes : une bombe anatomique. Si vous vous excitez, elle peut exploser n'importe quand !

Il lui a donné des médicaments qui agissent comme des policiers à l'intérieur du corps. S'il y a trop de pression dans la circulation, ils donnent des billets d'infarctus pour calmer tout ça. De cette façon, on peut éviter de faire sauter la bombe.

La sorcière avait beaucoup d'autres maladies. Elle avait des rats qui lui mangeaient tout l'intérieur. Dans la ruelle, j'ai déjà vu un rat manger un chat. Ils sont gros, les rats, dans ma ville. Le gros docteur Lamontagne lui avait donné d'autres pilules pour que sa rate arrête de faire des rats. Il disait que la sorcière avait un grand parc vert à l'intérieur de son quartier populaire. Comme dans ma ville. Il n'y a qu'un seul grand parc vert. Le gros docteur Lamontagne disait que c'était un grand vert solitaire. C'est pour cette raison que la vie de son foie n'était pas si rose. Le gros docteur Lamontagne a bien ri quand j'ai dit que le foie de la sorcière n'était pas si rose. J'ai ri avec lui. Le gros docteur Lamontagne a crié que j'avais de l'esprit. Je ne savais pas ce qu'il voulait dire par là. Il a essayé de m'expliquer quelque chose sur le rose et, comme je ne comprenais toujours rien, il m'a donné un coup de pied au cul et m'a dit d'aller jouer dehors. Les marmottes ne comprennent jamais rien.

5

Tous les dimanches, nous allons rendre visite aux beaux-parleurs-petits-faiseurs. C'est comme ça que Tarzan appelle tous ceux qui donnent des ordres et qui portent des croix au cou. Il sait beaucoup de choses, Tarzan. Il travaille en Afrique. Les beaux-parleurs-petits-faiseurs répètent toujours la même chose. Il faut être beau quand on va les écouter. On met nos habits du dimanche. Nos costumes du dimanche, ce ne sont pas les accoutrements du lundi. Interdiction plus stricte de faire la marmotte avec les habits du dimanche. Les beaux-parleurs-petits-faiseurs n'aiment pas les gens sales. Il faut qu'ils soient beaux, les gens. Ils répètent toujours la même chose et, moi, je porte toujours le même costume du dimanche. Les marmottes font toujours la même chose.

Mon frère de la planète des fruits ne pleure plus. C'est parce qu'Inri, le chef des beaux-parleurs-petits-faiseurs, a décidé que les poires devaient arrêter de pleurer. Il connaît Tarzan, Inri. Peut-être bien qu'ils travaillent ensemble en Afrique. Mon frère de la planète des fruits a des habits comme les miens. Je suis fier. Il me fait rire, mon frère. Je lui parle marmotte. Lui, il ne parle pas. On ne se comprend pas toujours, mais on rit souvent ensemble. Il est plus jeune que moi, mon frère. Un jour, je lui enseignerai à faire la marmotte dans le sable. C'est chaud, le sable ; c'est comme le pipi. Chaud comme la bière dans le ventre quand on a fait seize heures en Afrique.

La reine d'Angleterre est toujours en retard. Elle se change en reine. Ses habits du dimanche à elle, ils sont comme ses vêtements du lundi. C'est long quand elle s'habille et Lapute l'aide toujours. Tarzan crie. Une reine, ça ne doit pas ressembler à une princesse. Elle est trop matisée, ma sœur. Elle a tout l'équipement pour être une reine et, moi, je n'ai même pas un costume de marmotte pour faire la marmotte. C'est pour ça que je me roule dans le sable. Mes accoutrements du lundi, c'est mon costume de marmotte. Tarzan, il devient noir et, moi, je deviens sale. Ce qui nous unit, c'est le bain. Tout le monde pense qu'elle est une poupée, la reine d'Angleterre. Moi, je pense comme le gros docteur Lamontagne : elle est trop matisée.

Nous allons toujours à pied chez les beaux-parleurs-petits-faiseurs. C'est tout près. Ils habitent la maison du respect. Il n'y a pas de toilettes dans la maison du respect. Il n'y a pas de cuisine non plus. Juste une grande table. Nous mangeons avec eux tous les dimanches. C'est toujours la même chose qu'on mange. Seulement une hostie et jamais de patates. Les marmottes font toujours la même chose. Il y a aussi Inri sur la verge. Les beaux-parleurs-petits-faiseurs nous lisent toujours le même livre. Je bâille beaucoup. J'ai très envie de dormir et Tarzan me donne des coups. Les beaux-parleurs-petits-faiseurs détestent quand on s'endort devant eux. Ils veulent nous voir propres et réveillés. Toute la ville va les voir. Ils répètent toujours la même chose et ils parlent le lapin. Je ne comprends rien. Les marmottes ne comprennent jamais rien. Ils font des discours en lapin, et tout le monde répond quelque chose. Tarzan parle lapin aussi. Il chante même en lapin, c'est pour dire. Quand on parle lapin, on a de grandes oreilles et on aime la musique, c'est pour ça qu'il faut chanter. Une fois, je me suis mis debout sur le banc et j'ai crié :

— CAROTTE !!!!!

Je pensais que les beaux-parleurs-petits-faiseurs aimeraient ça. Les lapins mangent des carottes, et les marmottes, des patates. Les beaux-parleurs-petits-faiseurs n'ont pas aimé ça. Tarzan non plus. Mon frère de la planète des fruits a ri et la reine d'Angleterre s'est sauvée en courant. Lapute est devenue rouge comme une pomme. J'ai pensé qu'elle venait peut-être de la planète des fruits, elle aussi. Si on continue encore longtemps à m'enseigner le respect, j'aurai peut-être ma photo à la place de celle d'Inri, un jour.

Il s'est aussi fait enseigner le respect, Inri. Depuis ce temps, les beaux-parleurs-petits-faiseurs construisent des maisons pour bien se rappeler ce qu'est le respect. Ce serait moins compliqué avec Tarzan. Le respect, c'est la verge. Inri, c'était une marmotte. Comme moi. On lui répétait : « Tu ne comprends rien ! Arrête de te rouler dans le sable ! » Il continuait quand même. Il savait qu'il deviendrait un jour un exemple de respect. Il a porté la verge sur ses épaules pendant quarante jours. Puis, pour bien lui enseigner le respect, on l'a finalement cloué sur la verge. Tarzan travaille avec lui en Afrique. Ils font des seize heures ensemble et quand l'horloge explose, c'est toujours de la faute d'Inri. Ils se connaissent bien. On a un modèle réduit d'Inri à la maison. Tarzan le pointe du doigt et il crie : « C'EST DE TA FAUTE ! » Il lui parle souvent quand il boit de la bière. Ils parlent le lapin ensemble. Quand il a bu de la bière, Tarzan, il marche croche. C'est comme une danse et il crie : « C'EST DE TA FAUTE ! » Il crie aussi en lapin. Quand Tarzan est vraiment fâché, Inri fait tout ce que Tarzan veut. Je pense qu'Inri a peur de se faire clouer à nouveau sur la verge. C'est Inri qui a fait cesser de pleurer mon frère de la planète des fruits. Je pense que c'est moi qu'il faudrait clouer sur la verge. Je ne suis pas un gros lâche. Je n'ai peur de rien. J'ai même tué le Bonhomme Sept-Heures d'un coup de talon. Quand j'ai tué le Bonhomme Sept-Heures, ma sœur a été trop matisée. Elle n'est pas normale, la reine d'Angleterre. Il lui manque un morceau sous sa robe.

6

Tarzan n'est pas patient mais il joue souvent avec sa patience. C'est pour mieux faire du temps. Quand on n'est pas patient, on travaille en Afrique. Là-bas, il travaille sa patience. Il fait du temps. Ça prend seize heures pour faire seize heures. « Ta gueule, j'ai fait seize heures aujourd'hui ! » Vite dans le bain, il ne faut pas manquer Lâké. Tarzan écoute souvent la voix de Lâké. Pas quand la voix chante, non, c'est quand elle crie : « Il fait une passe, une passe, encore une passe et c'est le but !!! » Lâké habite la boîte, c'est une maison. Une maison où il y a de très petites personnes à l'intérieur. Ils sont tout petits mais on les entend bien. « Ta gueule, j'ai fait seize heures aujourd'hui ! J'veux écouter Lâké ! » qu'il me dit, Tarzan. Une bière pour la chaleur. Lâké, qui parle dans la boîte, est son ami. « Une passe, une passe, une passe et c'est le but !!! » Vite une bière pour fêter ça. Ça tient au chaud. « T'es encore chaud... », qu'elle dit, Lapute. « Ta gueule, j'écoute Lâké ! » qu'il lui répond, Tarzan. Quand Lâké parle, il ne faut plus bouger dans la maison. C'est comme à l'enterrement de la sorcière. Ne pas bouger et ne pas crier : « C'est dans un coffre en fonte qu'il faut l'enterrer ! » Non. Il ne faut pas parler, sinon c'est la verge.

Quand Lâké a fini de parler, Tarzan est tout chaud. La bière, c'est comme le pipi. Parfois, Tarzan lance sa bière sur le mur quand Lâké dit que c'est terminé. La reine d'Angleterre n'écoute jamais Lâké. Quand Lâké commence à parler, elle monte très vite dans sa chambre. C'est comme si elle avait peur. Elle est trop matisée, la reine d'Angleterre. Écouter Lâké, c'est une affaire d'hommes. Moi, j'ai le droit de me coucher tard. Nous écoutons Lâké, Tarzan et moi. Je ne comprends rien. Les marmottes ne comprennent jamais rien. Ce n'est pas grave. Je croise les bras, je regarde et j'écoute. « La passe, la passe, la passe et c'est le but !!! » Quelquefois, Tarzan dit : « Tant mieux ! » D'autres fois, il chiale : « Non ! Non ! Non ! C'est pas vrai ! » Il répond à Lâké et, moi, je répète après lui. Quand il est content, Tarzan, il me frotte la tête. Les marmottes aiment se faire jouer dans les poils de la tête. On dirait que la reine d'Angleterre a peur de

Lâké. Elle se sauve toujours quand Lâké commence à parler. Elle est trop matisée, la reine d'Angleterre.

Lapute, elle va chez les voisins quand Tarzan écoute Lâké. Si elle y pense, elle amène mon frère de la planète des fruits. Elle dit que c'est mieux comme ça. Quand elle revient et que Lâké parle toujours, elle dit : « T'es encore chaud. » Si Lâké cesse de parler avant que Lapute revienne, Tarzan m'envoie dormir dans mon trou et va raconter tout ce qu'a dit Lâké à la reine d'Angleterre. Je colle mon oreille à un tuyau, près de mon lit, et j'entends des sons. C'est la voix de Tarzan. Les yeux des patates me regardent, mais ce n'est pas grave. Quand Tarzan parle, les yeux ne peuvent pas me voir. Je deviens tout noir. Comme en Afrique. Je deviens un Tarzan invisible pour les patates.

Il faut être patient pour écouter Lâké si longtemps. Moi, je ne comprends rien. Je suis une marmotte. Je croise les bras et j'attends. Tarzan est certain que je comprends Lâké parce que je répète la même chose que lui. C'est une affaire d'hommes, Lâké. « Une passe, une passe, une passe et c'est le but !!! » Elle est drôle, la petite maison de Lâké. Une prison. Quand on tourne le bouton sur sa maison, il change de voix pour faire plaisir à Tarzan. Quelquefois il crie ou il chante. Une fois, Tarzan était tellement fâché contre Lâké qu'il a jeté sa maison par la fenêtre. C'était drôle. Ensuite, il lui a acheté une nouvelle maison. L'autre soir, un monsieur qui travaille en Afrique avec Tarzan est venu écouter Lâké à la maison. Tarzan l'a jeté, lui aussi, par la fenêtre. C'est monsieur Moncrisdecav qui est venu à la maison. Tarzan a dit :

— Je vais t'enseigner le respect, Moncrisdecav !

Juste avant, ils avaient parlé de Lapute. Ils étaient chauds. Plus chaud que du pipi, je crois. Tarzan a soulevé monsieur Moncrisdecav et il l'a fait voler comme un oiseau. C'était beau. Monsieur Moncrisdecav n'a pas volé longtemps. Il est tout de suite retombé sur le trottoir. Tarzan ne savait sûrement pas que son collègue n'était pas un oiseau. C'est comme pour moi : je suis une marmotte et Tarzan ne le sait pas. Ça arrive, ces choses-là. C'était tellement beau ! C'est parce que monsieur Moncrisdecav avait joué avec la patience de Tarzan. Quand on travaille en Afrique, il faut faire attention à la patience. Et quand on joue avec la patience de Tarzan, on frotte ou on vole. Moi, je frotte. Je frotte tout le temps, ça occupe. J'aime mieux frotter que voler. De toute façon, je ne pourrais pas voler, je suis une marmotte. J'ai hâte de manger des patates. « Maudit cochon ! » C'est drôle, ça, « maudit cochon ».

7

J'ai mangé des patates aujourd'hui. C'était bon. C'étaient des patates au pâté chinois. Ils sont chanceux, les Chinois. Les Chinois, c'est comme le blé d'Inde, ils sont jaunes. C'est comme le pipi, les Chinois : jaune. C'est comme la bière, les Chinois : jaune. C'est comme les murs de la maison avant le ménage du printemps, les Chinois : jaune. C'est comme les doigts de Tarzan, les Chinois : jaune. C'est comme la machine à rouler les Scie Garète, les Chinois : jaune. C'est comme les dents de Tarzan quand il rit, les Chinois : jaune. Ce sont les Chinois qui ont inventé le jaune. Ce sont eux aussi qui ont inventé le pâté chinois. C'est pour ça que ça s'appelle « pâté chinois ». Moi, j'aime ça, le pâté chinois. Le blé d'Inde, ça explose entre mes dents. Je croque et, en même temps, ça explose.

— Arrête d'en manger, maudit cochon ! qu'elle m'a dit, Lapute.

J'aime ça, « maudit cochon ». C'est drôle, ça, « maudit cochon ».

Tarzan me dit :

— Ce soir, c'est Lâké !

Je suis content. Je ne comprendrai rien, mais si Tarzan est content de Lâké, je me ferai peut-être caresser la tête.

Je suis une marmotte, je creuse. Je fais des trous dans mes patates. De gros trous, de petits trous, il y a des trous partout. Un jour, je vais creuser un trou très grand et très profond. Un long tunnel comme celui de la sorcière, celui qu'elle a creusé pour venir mettre ses yeux partout sur les patates. Un long tunnel dans la terre. Tellement long que je rejoindrai les Chinois de l'autre côté de la Terre. Un trou qui débouchera en plein centre de la ville de Chine. Et, là, les Chinois me verront tous arriver et ils diront :

— Ying ! Yang ! C'est Marmotte !

Ils auront des chapeaux pointus et des yeux plissés comme lorsqu'il y a de gros vents. Ils diront :

— Ying ! Yang ! C'est Marmotte ! C'est Marmotte qui nous visite !

Moi, je dirai :

— C'est moi, Marmotte, le roi du pâté chinois ! Je veux voir votre chef, le Grand Blé d'Inde !

Les Chinois diront :

— Oui, Marmotte ! Tu es notre sauveur, Marmotte ! Les beaux-parleurs-petits-faiseurs nous avaient annoncé ton arrivée !

Et moi, je répondrai :

— Oui, je suis le sauveur des Chinois et je viens pour vous enseigner le respect. Vous vous en souviendrez longtemps !

Le chef Blé d'Inde arrivera et dira :

— Nous avons pendu tous les beaux-parleurs-petits-faiseurs parce que nous étions certains qu'ils racontaient des blagues quand ils nous disaient que le Grand Marmotte allait bientôt nous sauver.

Moi, je lui répondrai :

— C'est pas grave ! Un de pendu, dix de retrouvés !

Puis le chef dira :

— Toi qui viens de si loin, enseigne-nous le respect. Tu connais tant de choses sur le sujet !

Alors, je sortirai la verge. Tous les Chinois crieront :

— Ying ! Yang ! Qu'est-ce que c'est ?!

— La verge, c'est le respect, que je leur dirai.

Les Chinois répondront ensemble :

— Ying ! Yang ! Bravo ! Bravo, Marmotte !

Alors, je dirai au chef :

— Maudit cochon, viens ici que je t'enseigne le respect.

Le Grand Blé d'Inde s'agenouillera devant tout le monde. Il baissera son pantalon et montrera ses fesses. Je remonterai la manche de ma chemise et, ensuite, je prendrai la verge, puis je le frapperai de toutes mes forces en criant :

— REGARDE, GROS LÂCHE DE BLÉ D'INDE ! REGARDE COMMENT ON ENSEIGNE LE RESPECT !!! TIENS ! PRENDS ÇA POUR AVOIR FAIT PIPI DANS TON LIT ! TIENS ! PRENDS ÇA PARCE QUE TU T'ES ENCORE ROULÉ DANS LE SABLE ! TIENS ! PRENDS ÇA PARCE QUE TU AS REGARDÉ SOUS LA JUPE DE LA REINE D'ANGLETERRE ! TIENS ! PRENDS ÇA PARCE QUE TU N'ÉCOUTES JAMAIS CE QU'ON TE DIT ! PRENDS ÇA ! PRENDS ÇA ! PARCE QUE TU ES UN GROS LÂCHE ! TIENS ! TIENS ! PRENDS ÇA PARCE QUE TU AS PEUR DE DORMIR DANS TON TROU ! TIENS ! PRENDS ÇA PARCE QUE TU AS DÉCHIRÉ TES VÊTEMENTS ! TIENS ! PRENDS ÇA PARCE QUE TU NE COMPRENDS RIEN À L'ÉCOLE ! TIENS ! PRENDS ÇA PARCE QUE J'AI FAIT SEIZE HEURES ! PRENDS ÇA !!! PRENDS ÇA !!! PARCE QUE TON FRÈRE PLEURE TOUT LE TEMPS !!! PRENDS ÇA !!! PARCE QUE TON FRÈRE A UNE TÊTE D'EAU !!! PRENDS ÇA PARCE QUE L'HORLOGE A EXPLOSÉ !!! TIENS ! PRENDS ÇA PARCE QUE MONSIEUR MONCRISDECAV EST MORT DANS L'EXPLOSION !!! PRENDS ÇA POUR TE FERMER

LA GUEULE, MAUDIT COCHON !!! PRENDS ÇA POUR ARRÊTER DE POSER DES QUESTIONS !!! PRENDS ÇA PARCE QUE TU NE COMPRENDS JAMAIS RIEN !!! PRENDS ÇA !!! PRENDS ÇA !!! TIENS ! TIENS ET TIENS !!! ARRÊTE DE PLEURER, GROS LÂCHE !!! PRENDS ÇA !!! FERME TA GUEULE !!!! FERME TA GUEULE !!!! FERME TA GUEULE !!!! FERME TA GUEULE !!!!

Le chef des Chinois se relèvera lentement en pleurant, puis il me remerciera :

— Merci. Tu m'as enseigné le respect et j'ai compris bien des choses.

Les Chinois feront la fête.

— Ying ! Yang ! Merci, Marmotte ! Ying ! Yang ! Merci, la verge ! Merci à notre sauveur le Grand Marmotte ! Ying ! Yang !

— Fermez vos gueules ! que je leur répondrai. J'ai une dernière leçon à vous enseigner !

— Ying ! Yang ! Une dernière leçon ! Oui, Marmotte ! Une dernière leçon !

Alors, je les ferai monter sur ma fourchette et, doucement, très doucement, je les porterai à ma bouche : ils auront très peur.

— Ying ! Yang ! C'est quoi, ce gros trou noir, Marmotte ?

Moi, je les rassurerai :

— N'ayez pas peur, c'est par-là que je suis venu.

— Ying ! Yang ! Mais nous avons peur, nous voyons les yeux de la sorcière dans les patates !

— N'ayez pas peur. Je vous enseignerai le respect à vous aussi !

Et ils chanteront :

— Ying ! Yang ! Vive Marmotte ! Vive le Grand Marmotte, notre sauveur !

Et, là, je les attraperai avec ma bouche et je les ferai exploser entre mes dents.

— C'est ça, le respect, maudits cochons ! Je vous ai fait cela parce que je vous aime, mes petits Chinois !

L'amour, c'est ça, c'est le contrôle. Ça fait souvent mal, l'amour. Moi, j'aime ça, le pâté chinois.

8

L'horloge a explosé. C'est la faute du blôke : Tarzan l'a dit. Il a toujours raison, Tarzan. Il n'avait pas encore fait seize heures, et des Africains qui travaillent en Afrique l'ont ramené à la maison. Il se débattait, Tarzan.

— LAISSEZ-MOI RETOURNER À L'USINE ! J'VAIS ÊTRE COUPÉ SI J'RETOURNE PAS LÀ-BAS !!!

Les Africains lui disaient :

— Calme-toi un peu. On va s'arranger avec le blôke. On va te couvrir !

Je ne comprends pas pourquoi Tarzan voulait retourner en Afrique. Des coupures, il en avait déjà partout sur lui. Tarzan ne l'aime pas, le blôke. On ne peut jamais faire confiance à un blôke. Ils disent toujours : « Goddamfuckinfrench ! » Dès que tu as le dos tourné, ils te plantent un couteau entre les hommes aux plates. Tarzan dit que c'est la faute du blôke si l'horloge a explosé. C'est parce que, le blôke, il pousse les goddamfuckinfrenchs à bout. Quand un goddamfuckinfrench à bout remonte l'horloge, il peut faire des erreurs. Quand le goddamfuckinfrench fait une erreur, l'horloge au complet lui explose à la figure. Tarzan n'aime pas le blôke, il dit que c'est un chien sale. Moi, j'aime bien les chiens, même s'ils sont sales. Pour qu'ils redeviennent propres, les chiens, on n'a qu'à leur faire prendre trois bains. Mais je ne peux pas vraiment savoir. Il y a toutes sortes d'animaux en Afrique. Tarzan dit qu'il faut toujours frapper les blôkes avant qu'ils nous frappent.

Quand les Africains sont partis, Tarzan est allé se regarder dans le miroir de la salle de bain. Lapute pleurait.

— C'est toi qui aurais pu mourir dans l'explosion... Qu'est-ce que je serais devenue ?

Tarzan lui a donné une grosse claque dans la figure et lui a dit :

— Arrête de pleurer. Ferme ta gueule. Tu vas me faire vomir avec ton câliss de chialage de bonne femme. Tu le sais plus que moi, ce que tu serais devenue, pis j'te ferai pas le plaisir de crever t'suite !

Tarzan avait un gros trou dans la figure, un gros trou dans la joue. Ça lui faisait comme deux bouches. Là où il n'y avait plus de joue, on pouvait voir ses dents. Sa jambe et son bras étaient gravement brûlés. C'est dangereux, de faire du temps en Afrique.

Monsieur Moncrisdecav travaille souvent aux côtés de Tarzan. C'est ensemble qu'ils remontent l'horloge. Quand on remonte l'horloge, ça s'appelle « travailler au carbure ». Ils remontent l'horloge avec du carbure. Le carbure, c'est comme le soleil. Quand on fait seize heures, on devient tout noir et il faut prendre trois bains. Quand l'horloge a explosé, monsieur Moncrisdecav s'est envolé comme un oiseau. Il devait être beau. Il a ouvert ses bras et il est parti dans les airs en poussant un long cri. Il est passé par la fenêtre et il a volé longtemps, très longtemps. Quand il a voulu atterrir, monsieur Moncrisdecav a choisi la route qui se trouve juste en bas de l'horloge. Un gros camion lui est passé dessus. C'est dangereux, la route. Il ne faut pas jouer sur la route. Il ne faut jamais passer sous un camion, ça fait mal. Je pense que Tarzan regrette de ne pas lui avoir dit d'atterrir sur le trottoir.

Tarzan s'est cousu la joue. Il s'est servi du fil blanc que Lapute utilise pour réparer mes habits du dimanche. Il a pris une petite aiguille et il s'est cousu la joue. Pas question d'appeler le gros docteur Lamontagne : il coûte trop cher et il énerve Tarzan. Le gros docteur Lamontagne n'est même pas capable d'expliquer pourquoi les cheveux de la reine ne repoussent pas. Ça ne sert à rien, un docteur qui n'est pas capable de guérir les gens. Il avait chaud quand il cousait, Tarzan. Puis il a pris la bouteille de baboche. « T'es encore chaud ! Maudite de maudite baboche ! » qu'elle lui dit souvent, Lapute. Tarzan a versé de la baboche sur sa joue. C'est là que j'ai compris pourquoi Tarzan travaille en Afrique : il fait le cri de la jungle. Mon cœur a presque explosé. Quand Tarzan a poussé son cri de la jungle, la terre a tremblé. La vaisselle a tremblé. Les assiettes voulaient sortir de l'armoire. Tous les bibelots sautillaient pour se jeter en bas des meubles. Je pensais que la maison allait s'écrouler. J'ai reçu sur la tête Inri cloué sur la verge qui voulait sortir de la maison. À cause du cri de la jungle, Inri avait peur que Tarzan lui enseigne le respect. Tarzan a serré son poing et a frappé très fort sur le miroir en face de lui. Le miroir s'est transformé en oiseau et a volé partout dans la salle de bain. Ensuite, tout s'est calmé.

Je suis allé à la fenêtre pour regarder dehors. Au bout de la rue, j'ai vu un troupeau d'éléphants qui s'éloignait. Partout, il y avait des débris de maisons qui étaient tombés. Tarzan avait alerté un troupeau d'éléphants avec son cri de la jungle, avec son cri de Tarzan. Il y avait plein de gens qui regardaient les dégâts. Je suis vite retourné dans la salle de bain. J'ai vu Tarzan qui prenait de grosses gorgées de baboche en grimaçant. Il est tombé assis sur le bord de la baignoire, en serrant très fort les dents, il a dit :

— Criss que ça fait mal !

J'ai dit :

— Salut, Tarzan !

Il m'a regardé. Il y avait de l'eau dans ses yeux. Il avait, dans les yeux, des petits lacs comme sur la glace au printemps. Des petits lacs qui cherchent la rivière pour tomber dans les égouts. Il m'a regardé très longtemps sans rien dire. Moi, j'ai répété :

— Salut, Tarzan !

Il a essayé de sourire, puis il m'a demandé :

— Qu'est-ce qu'on va faire avec toi ?

J'ai souri.

— Montre-moi tous les secrets de la jungle !

Il a répondu :

— Ta gueule ! Faut que j'retourne travailler.

9

J'ai un frère. J'aime beaucoup mon frère, il est drôle. Je crois qu'il vient d'une autre planète. Sa tête ressemble à une poire. C'est parce qu'il vient de la planète des fruits. C'est une planète où les gens pleurent tout le temps. Un jour, Lapute m'a dit qu'elle attendait un enfant. Je me suis assis sur une marche de l'escalier et j'ai attendu aussi. Je ne savais pas que c'était un enfant de la planète des fruits qu'elle attendait. J'ai attendu longtemps sans même savoir qui allait arriver. C'était avant que je devienne une marmotte. La vieille sorcière me regardait. Moi, j'attendais. « Tu ne fais rien, tu es un gros lâche », qu'elle me disait, la sorcière. Quand on attend un enfant, il ne faut rien faire. Lapute ne faisait rien. C'est la sorcière qui faisait tout. « Gros lâche ! qu'elle me criait, viens m'aider ! » Quand on attend un enfant, on ne fait rien. La sorcière est une marmotte, elle ne comprend jamais rien.

J'avais hâte de le voir arriver, l'enfant que Lapute attendait. Quand on attend un enfant, on reste couché sur le dos et on grossit. On devient gros et les autres travaillent. Tout le monde s'occupait de Lapute quand elle attendait un enfant. Moi aussi, j'ai attendu. Quand Lapute attend un enfant, je peux être sale et ça ne dérange personne. On ne s'occupe pas de moi quand Lapute attend un enfant. C'était long, attendre. La reine d'Angleterre et la sorcière passaient toutes leurs journées dans la chambre de Lapute. Une fois, j'ai voulu entrer.

— Maudit cochon !!! Va-t'en ! qu'elles ont crié.

J'aime ça, « maudit cochon ». Ça me fait rire. J'ai vu le ventre de Lapute. Il était gros comme une montagne. « Elle va exploser », je pensais. Quand Lapute attend un enfant, Tarzan arrête d'enseigner le respect. Pas toujours. Comme lorsque je casse des vitres chez les voisins avec des cailloux. Quand on attend un enfant, il n'y a rien d'autre à faire. C'était avant que je devienne une marmotte. Avant que je dorme dans mon trou. Avant, c'était seulement pour les patates, le trou. Maintenant, c'est aussi pour les marmottes. C'est la sorcière qui a convaincu Lapute. Elle lui a expliqué que ce serait mieux comme ça. Puis elle m'a dit d'aller dans mon trou et de rester tranquille. Elle m'a dit :

— Chaque fois que tu seras dans ton trou, je te surveillerai par les yeux des patates. Si tu fais des bêtises, je vais te voir.

Je suis devenu une marmotte. Quand on attend un enfant trop longtemps, on devient une marmotte.

Puis un jour elle a explosé, Lapute. Je faisais la marmotte dans mon lit et elle a explosé. Je l'ai entendue crier. Tarzan l'a emmenée avec lui en Afrique. Je le sais parce qu'il a chaussé ses bottes. Il est parti en Afrique avec Lapute. Elle criait, Lapute. Je suis resté seul avec la sorcière et la reine d'Angleterre. Elle marchait, elle marchait, la sorcière. Elle marchait de long en large. Elle a dit à la reine d'Angleterre d'aller dormir. Puis elle s'est arrêtée de marcher pour descendre dans mon trou, mais l'escalier l'a fait tomber. J'ai entendu les marches rire. Elle a crié la sorcière, elle criait :

— Viens m'aider !!!

Elle criait :

— Gros lâche !!! Viens m'aider !

Quand on attend un enfant, on ne fait rien. Elle a commencé à ramper, la sorcière. Elle criait. Il faisait noir comme dans le cul d'un nègre. Elle rampait en criant. Puis, tout à coup, j'ai senti sa main sur mon bras. Elle a mis sa main sur mon bras, la sorcière. Une main froide remplie de veines mauves. Elle criait que c'était de ma faute. J'ai crié encore plus fort :

— C'EST MAUVAIS POUR LA PRESSION DE S'EXCITER ! IL FAUT ÉCOUTER LE GROS DOCTEUR LAMONTAGNE ET TE CALMER, VIEILLE SORCIÈRE ! C'EST PAS DE MA FAUTE !!! C'EST PAS DE MA FAUTE ! LÂCHE MON BRAS !!!

Elle criait qu'elle allait mourir. Elle criait que ses jambes étaient brisées.

— C'est pas moi, le gros docteur Lamontagne ! Je peux pas t'aider ! que je lui répétais.

J'avais tellement peur ! J'étais certain qu'elle allait m'étouffer. Elle avait les dents serrées et elle m'a dit :

— Je vais revenir te voir même quand je serai morte ; je vais revenir te regarder à travers les yeux des patates, gros lâche.

Puis elle a lâché mon bras et elle s'est mise à respirer fort. Elle respirait très fort. Elle respirait comme la fournaise à l'huile. Elle soufflait que c'était de ma faute. Elle soufflait que j'étais un monstre. Je ne suis pas un monstre, je suis une marmotte. Quand on attend un enfant, on ne fait rien. J'ai fait pipi. Elle s'était arrêtée de souffler. Je pensais qu'elle dormait. Je suis resté très longtemps à la regarder faire la morte. Puis j'ai regardé les patates. Les patates me regardaient. Les patates ont de longs yeux qui leur poussent tout autour du corps. J'ai chialé :

— C'est pas moi, le gros docteur Lamontagne ! C'est pas moi ! Je suis une marmotte, pas un gros docteur Lamontagne !

J'ai tiré la sorcière par les jambes. C'est lourd, une sorcière. J'ai tiré fort. Je suis devenu chaud comme quand on boit de la bière. J'ai tiré fort. J'ai amené la sorcière jusqu'au Bonhomme Sept-Heures sous l'escalier et je lui ai dit :

— Regarde ce que tu as fait. C'était peut-être drôle d'essayer de me faire tomber mais, là, tu as dépassé les bornes. Un jour, je t'enseignerai le respect, monsieur Boudin. Un jour, je me vengerai ! Tu peux bien rester caché sous l'escalier comme un peureux, mais je sais que tu es là. Elle va se venger sur moi, la sorcière et, toi, tu me le payeras !

J'ai traîné la sorcière jusqu'en haut des marches. C'est lourd, une sorcière. J'ai tiré fort. J'ai laissé la sorcière au pied de l'escalier de la reine d'Angleterre. Après, je suis vite retourné dans mon trou pour me cacher. Marmotte. J'ai crié :

— C'est de la faute du Bonhomme Sept-Heures !!! C'est de la faute de monsieur Boudin !!!

C'est la reine d'Angleterre qui a trouvé la sorcière. La reine d'Angleterre est restée sans rien dire devant la sorcière. La sorcière avait les yeux ouverts et elle regardait la reine d'Angleterre. Ce jour-là, elle a perdu tous ses vrais cheveux, la reine d'Angleterre.

Ils sont vraiment tous tombés. Alors, elle porte une perruque maintenant. Le gros docteur Lamontagne dit que c'est parce qu'elle a été trop matisée. Il a dit que c'est la goutte qui a fait exploser le vase. Il faut faire semblant de rien. Il faut faire comme si rien ne s'était passé. Il ne faut surtout pas la matiser encore plus. Faut lui donner tout ce qu'elle veut. Il faut lui acheter des robes de reine d'Angleterre et des couronnes de cheveux blonds. Des cheveux qui ressemblent à des couronnes de reine. Il ne faut pas mettre ni ses couronnes ni ses robes pour aller faire la marmotte dans le sable. Même si les marmottes trouvent ça drôle. Il faut que Tarzan dépense tout son argent pour lui faire plaisir, à la reine d'Angleterre. Tarzan ne trouve pas ça drôle du tout. Il voudrait bien lui enseigner le respect, à la reine. Il aimerait bien lui donner un bon coup derrière la tête pour lui remettre les idées en place, mais Lapute le dirait au gros docteur Lamontagne. « Achète-lui ce qu'elle veut. Elle est déjà assez trop matisée comme ça, la pauvre ! » qu'elle lui répète, Lapute.

Moi, je sais pourquoi elle est vraiment trop matisée, la reine d'Angleterre. C'est parce qu'il lui manque un morceau. Ça, tout le monde le sait et personne n'en parle. Je crois même que le gros docteur Lamontagne le sait aussi, mais il ne dit rien non plus. C'est un secret dans la famille.

10

Il faut que ça bouge, les marmottes, il faut que ça creuse. C'est nerveux, les marmottes. Ça bouge sans cesse, les marmottes. Elles bougent même quand elles écoutent Lâké. Elles se bercent sur la chaise berceuse. Elles se bercent en avant, en arrière, en avant, en arrière, sans arrêt. Les marmottes font toujours la même chose. Il y a plusieurs choses à faire dans une journée. Les marmottes font toujours la même chose. Premièrement, il faut se réveiller dans la nuit et regarder les yeux des patates. Faire pipi au lit, se rendormir, se réveiller de nouveau et… la verge. Ça réveille, la verge ! Deuxièmement, il faut manger des toasts au beurre de peanut, il faut en manger tant qu'on peut. « Arrête de manger, maudit cochon ! » J'aime ça, « maudit cochon ». C'est drôle, ça, « maudit cochon ». Quand on a fini de manger, il faut faire semblant de se brosser les dents, s'habiller, oublier ses devoirs et partir pour l'école. Il faut lancer des cailloux dans la fenêtre de monsieur Boudin pour qu'il comprenne bien que je veux lui faire payer la mort de la sorcière. En chemin, il faut casser une branche d'arbre dans le parc et s'en servir pour faire chanter les poteaux des clôtures. Il faut crier des noms aux filles, leur tirer les cheveux, regarder sous leur jupe, les pousser dans les buissons ou, s'il pleut, les asseoir dans la boue.

Ça crie tout le temps, les filles. Dès que je m'approche d'une fille, elle crie. Elles me connaissent, les filles. L'hiver, je leur fais des lavages. Je suis un expert en lavage. Je plonge sur la fille, je m'assois à cheval sur elle et je lui enfonce de la neige dans la bouche pour qu'elle arrête de crier. Ensuite, je lui mets de la neige dans la figure, dans son manteau et dans ses bottes. Si j'ai le temps, je lui enlève ses bottes et je les lance le plus loin possible. Je dis « si j'ai le temps », parce que souvent les autres filles se jettent sur moi en me criant des noms. Elles crient : « T'ES UN MALADE ! VA TE FAIRE SOIGNER ! » Moi, je leur réponds : « Je ne suis pas un malade ! Je suis une marmotte ! » Elles sont trop matisées comme la reine d'Angleterre, elles ne sont pas normales. Il leur manque un morceau.

Troisièmement, la cour de récréation. Il faut se chamailler, salir ses vêtements, les déchirer, faire l'acrobate sur la clôture, crier des noms aux plus petits, rire de Ti-Guy Ratatouille et lancer des cailloux sur les automobiles qui passent dans la rue. Quatrièmement, la classe. Les filles chez les bonnes sœurs, les garçons chez les frères de la charité chrétaine. En classe, il faut faire la prière, s'asseoir, écouter, ne pas parler, répéter, regarder dehors, bâiller, dire que le devoir est resté à la maison, se faire frapper sur les doigts, mettre le bonnet d'âne, rester dans le coin, s'endormir, se faire frapper de nouveau sur les doigts, regarder dehors, faire des boules de papier, les lancer, se faire encore frapper sur les doigts, se mettre le doigt dans le nez, regarder dehors, ne pas répondre à la question, tomber de sa chaise, jouer avec le couvercle de son pupitre, graver des dessins dessus, regarder dehors, s'endormir, se faire taper sur les doigts encore et encore, ouvrir les cahiers, barbouiller sur les pages, fermer les cahiers, ronger ses crayons, lancer des morceaux de gomme à effacer sur Ti-Guy Ratatouille, aller aux toilettes, ne pas revenir, se promener, se cacher, se faire attraper et se refaire taper sur les doigts, faire des bulles avec sa salive, faire des sons avec sa bouche, faire du bruit avec son crayon, se faire sortir de la classe, aller chez le principal, se faire taper sur les doigts, aller réfléchir dans le placard du concierge, sortir, manger la collation des autres, manger son dîner et tout recommencer l'après-midi.

Cinquièmement, le retour à la maison. Il faut faire peur aux filles. Après l'école, je suis trop fatigué pour faire des lavages ou pour tirer les cheveux. Je fais peur, c'est tout. Je cours vite vers les filles et je hurle : « TARZAN ! TARZAN ! » dans leurs oreilles. Chaque fois, elles sont tellement surprises qu'elles sautent dans les airs et elles crient : « T'ES UN FOU ! T'ES UN MALADE ! JE VAIS LE DIRE À MON PÈRE !!!! » Et moi, je leur réponds : « Je suis le roi du pâté chinois ! Si ton père vient me voir, je vais le mettre sur ma fourchette et je lui enseignerai le respect entre mes dents : crounch ! »

Sixièmement, il faut encore lancer des cailloux dans la fenêtre de monsieur Boudin, rentrer à la maison, se faire enseigner le respect parce qu'on est sale, dire qu'on n'a pas de devoirs, regarder sous la jupe de la reine d'Angleterre, se faire encore enseigner le respect, faire la marmotte, s'occuper de son frère, sortir jouer, aller péter la gueule aux blôkes de la rue Maple, manger du pâté chinois, prendre un bain, écouter Lâké, descendre dans son trou et faire la marmotte.

C'est certain que ce n'est pas toujours, toujours pareil. Parfois, je préfère lancer des boules de neige dans les fenêtres ou bombarder les filles avec des cailloux, casser la gueule à Ti-Guy Ratatouille, péter dans la classe ou me faire mettre à la porte de l'école pour mauvaise conduite. Ce n'est pas toujours pareil, mais presque toujours. C'est ce qui est bien quand on est une marmotte : la même chose n'est pas toujours la même chose. Les marmottes, elles bougent. Il faut qu'elles creusent. Ça fait toujours les mêmes trous, mais pas toujours au même endroit. Ça creuse toujours le même trou, mais pas toujours de la même façon. Mais une chose est certaine : j'ai toujours de grosses journées.

11

Quand il était petit, il pleurait tout le temps, mon frère de la planète des fruits. Il pleurait la nuit, il pleurait le matin, il pleurait toute la journée. Il était toujours dans les bras de quelqu'un. Il était dans les bras de Tarzan, dans les bras de Lapute ou dans les bras de la reine d'Angleterre. C'était la seule façon de le faire arrêter de pleurer. Quand on vient de la planète des fruits, on ne peut pas se coucher sur le dos parce que, là-bas, on vit accroché dans un arbre. On a toujours le corps bien droit dans les branches, la tête en haut, les pieds en bas. Mon frère, lui, est né dans un arbre à poires. Il y a beaucoup de jus dans une poire. C'est pour ça qu'il y a beaucoup d'eau dans sa tête. C'est souvent comme ça quand on arrive d'une autre planète. Les Martiens ont toujours de grosses têtes quand ils arrivent sur la Terre. Ils attaquent la ville de New Pork. Ça veut dire « nouveau cochon ». Ce n'est pas « maudit cochon », mais presque. Je le sais parce que je l'ai vu dans la bande dessinée du Cow-boy-de-l'Espace. Quand les Martiens débarquent, leur tête grossit. Je dis que mon frère vient de la planète des fruits mais, en réalité, je ne sais pas vraiment d'où il vient. Il y a tellement, tellement de planètes. Lui non plus ne sait pas d'où il vient. Quand je lui demande : « D'où tu viens, toi ? », il me regarde avec ses grands yeux de poire et il sourit. « D'où tu viens, toi, mon frère de la planète des fruits ? » Il hausse les épaules. Il ne sait pas d'où il vient. Il a perdu la mémoire. Ce n'est pas grave. De toute façon, il ne parle jamais. Il y a encore trop de jus dans sa poire. Même s'il savait de quelle planète il vient, il ne pourrait pas me l'expliquer. Il parle la langue de la planète des fruits et, moi, je parle marmotte. On ne se parle pas mais parfois on arrive à se comprendre. On rit. On rit toujours. On se regarde dans les yeux et on rit. Quand je le regarde longtemps dans les yeux, je peux savoir à quoi il pense. Il pense souvent à sa planète, mon frère. Il s'ennuie de son arbre à poires. Il se demande si c'était une bonne décision de venir ici.

Un jour, il s'est arrêté de pleurer, mon frère. C'est Inri qui est descendu de la verge et qui est venu le voir. Inri lui a dit :

— Salut, mon ami ! C'est moi ! Inri cloué ! Il faut que je te parle. S'il te plaît, arrête de pleurer. Arrête de pleurer parce que, sinon, ton père va m'enseigner le respect. Tu as déjà entendu parler de moi ? Oui ? Non ? Bon. Ça ne fait rien. Je comprends parce que ça fait longtemps que je n'ai rien fait pour que les gens se rappellent de moi. De toute façon, tu es trop petit pour savoir et puis… là n'est pas la question. Puis… puis tu énerves tout le monde quand tu pleures. Voilà ! Je n'aime pas passer par quatre chemins. C'est simple, mon p'tit gars, tu as deux solutions : venir avec moi ou rester ici. Si tu as trop mal à la tête et que tu désires retourner sur ta planète, dans ton arbre, pas de problème, je vais te reconduire chez toi. Faut pas t'en faire, tu n'es pas le premier à qui cette chose-là arrive. Tu vois, avec la grippe asiatique qui vient de passer, une foule de personnes sont mortes. J'ai déjà dû ramener des belles pommes rouges sur la planète des fruits, des navets sur la planète des légumes, des sorcières sur la planète des marmottes et j'ai même dû ramener monsieur Moncrisdecav sur la planète des oiseaux, alors… tu vois bien que c'est facile. Quand je descends de la verge, c'est parce que c'est sérieux. Il va falloir prendre une décision rapidement. C'est ton père qui me l'a ordonné. Tarzan m'a ordonné de te faire arrêter de pleurer ou bien de te ramener sur la planète des fruits. J'ai vérifié s'il y avait encore de la place sur l'arbre à poires. Pas de problème, une branche vient de se libérer. C'est certain que je n'ai pas très envie de te reconduire là-bas. Ça coûte cher, l'autobus jusqu'à la planète des fruits, mais, si c'est ce qu'il faut faire, je suis prêt à payer ton billet de ma poche. Peut-être qu'il va arrêter de me menacer, Tarzan. Je ne veux pas me faire clouer sur la verge une deuxième fois, moi. J'ai déjà eu assez mal comme ça. Tu sais, ce n'est pas ma faute à moi, ce qui t'arrive. Quand on vient d'une autre planète, il faut s'adapter ou partir. Bon... qu'est-ce que tu fais ? Tu viens avec moi ou tu restes ? Ton père crie après moi. Il dit des gros mots. Il veut que je me dépêche. Il crie qu'il est au bout du rouleau, qu'il a déjà un enfant anormal et qu'il n'en veut pas deux. Tiens, écoute, maintenant c'est la faute de ta mère qui n'a pas été capable de choisir les bons fruits dans les arbres. Il a déjà enseigné le respect à la reine d'Angleterre, à Marmotte et, présentement, c'est ta mère qu'il frappe. Bientôt, il poussera encore son cri de Tarzan et la maison s'écroulera. Décide-toi ! Vite ! Le prochain sur la liste du respect, c'est moi ! Quand il en aura fini avec ta mère, c'est à moi qu'il s'en prendra. Puis ? Qu'est-ce que tu fais ? T'arrêtes de pleurer ? Oui ? Non ? Tu ne dis rien ? Tu ne fais rien ? Bon. Une seule chose à faire. Je suis décidé : je t'emmène !

Quoi ? Tu restes ? C'est la meilleure, celle-là ! Je t'avertis, ce ne sera pas facile. Tu sais ce que tu fais ? Il est encore temps si… Quoi ?… Non ?… Ta décision est prise… Bien. ALORS VEUX-TU ARRÊTER DE PLEURER TOUT DE SUITE, NOM DE DIEU ?!!! … Merci. C'est mieux ainsi. Ça fait du bien aux oreilles et aux nerfs. Moi, je me tire, il faut que j'aille voir ailleurs si j'y suis. Ah oui ! un jour, au moment propice, tu diras à ton frère qui se prend pour une marmotte que c'est l'amour qui le sauvera et pas Rintintin. Bye, la compagnie ! Je retourne sur la verge ! Je vais revenir te voir, question de prendre de tes nouvelles ! Bye !

C'est comme ça que mon frère de la planète s'est arrêté de pleurer. Cette histoire, personne ne me l'a jamais racontée. Je l'ai vue dans ses yeux.

12

Quand les marmottes regardent le ciel, elles voient des nuages. C'est beau, les nuages. Dans ma ville, on fabrique des nuages. Toute la ville fabrique des nuages. Tarzan en fait beaucoup. Lapute aussi. La sorcière en faisait tout le temps. J'ai même vu la reine d'Angleterre en faire en cachette. Dans ma ville, on fait des petits nuages, des gros nuages mais surtout des nuages noirs. Parfois, on fait aussi des nuages gris. Pour faire des nuages, il faut connaître la Scie Garète. C'est comme ça qu'on l'appelle. Elle est blonde, la Scie Garète, et elle aime se faire bronzer. Tarzan dit : « Ta gueule ! Je veux en griller une tranquille. » Pour bronzer, elle bronze, la Scie Garète ! Elle bronze tellement que les doigts de Tarzan deviennent jaunes. Les dents de Lapute et les murs de la maison aussi. Frotte ! Ça occupe ! Un drôle de jaune qui voudrait bien être brun. Un drôle de brun qui reste jaune quand on frotte. Il y a d'énormes Scie Garète partout dans la ville. Elles touchent le ciel. Ce sont elles qui fabriquent les gros nuages. Et de la poussière aussi. Frotte ! Ça occupe ! Les grosses Scie Garète font les gros nuages, et les petites Scie Garète font les petits nuages. Les Scie Garète de notre ville fabriquent les nuages du monde entier.

Un jour, j'ai essayé de faire des nuages. De petits nuages. Les marmottes peuvent aussi fabriquer des petits nuages. Enfin, c'est ce que je croyais. Les marmottes ne sont pas faites pour ça. Elles sont faites pour mettre le feu. Mettre le feu, ça veut aussi dire faire des gros nuages. Les marmottes sont bonnes pour se faire enseigner le respect, manger du pâté chinois, être chef des blés d'Inde, mais elles sont surtout bonnes pour mettre le feu. C'est la spécialité des marmottes quand elles veulent faire des nuages. Mettre le feu, ça veut dire qu'on a volé la Scie Garète lorsqu'elle est tombée sur le plancher, sous la table. Sans faire de bruit, je me suis approché. J'ai vu la Scie Garète qui me regardait droit dans les yeux.

— Salut, p'tit morveux ! Ça va ?

Je ne savais pas que la Scie Garète parlait. J'ai répondu :

— Oui, Scie Garète, ça va. Et toi ?

Elle m'a dit :

— Ta gueule ! C'est moi qui cause. On se les gèle ici, bordel de merde ! T'as pas du feu ?

J'ai dit non.

— Alors, trouves-en, connard, ou je te fais brûler la cervelle !

J'ai répondu :

— D'abord, je ne suis pas un canard, je suis une marmotte ! Ensuite, fais attention, Scie Garète, je suis le chef des blés d'Inde et si tu me parles encore sur ce ton-là, je vais t'enseigner le respect avec le dessous de ma botte !

La Scie Garète a eu peur.

— Faut pas t'énerver, Marmotte, faut te calmer, je suis ton pote, la meilleure amie que t'auras jamais. Je vais te donner du style ! Dans la vie, Marmotte, t'as deux solutions : t'es celui qui regarde passer les nuages ou t'es celui qui fabrique les nuages. Fais ton choix ! Pense bien et pense vite. Si tu veux être du mauvais côté de la clôture, ça te regarde ! Si tu décides de m'écraser, eh bien, c'est probablement parce que je l'aurai mérité ; je n'aurai pas su te justifier mon existence, ma valeur, ma mission !

J'ai réfléchi longtemps, très longtemps. J'ai amené la Scie Garète dans mon trou et je l'ai examinée de tous les côtés.

— Alors ? Nom de Dieu de merde, tu me fumes ? qu'elle m'a demandé.

— Mais… comment je fais ? que j'ai répondu.

— Putain ! ça va être long ! Bon, écoute-moi bien. Trouve du feu. Allumettes, briquet, torche à souder, n'importe quoi ! Du feu, merde ! IL FAUT FAIRE DU FEU !

J'ai dit :

— Bon, je vais demander à Lapute.

La Scie Garète s'est mise à crier de toutes ses forces :

— NON, NON ET NON, TRIPLE ANDOUILLE !!! NE JAMAIS demander de feu à ses parents ! C'est la pire chose à faire ! Ils sauront tout de suite que tu veux faire des nuages. Les grands sont jaloux des petits ; ils veulent se garder les nuages pour eux seuls ! Il faut la voler, l'allumette ! Voilà ce qu'il faut faire.

Je me suis levé.

— Facile. Je reviens tout de suite.

La Scie Garète a recommencé à hurler :

— NON !!! NE ME LAISSE PAS SEULE DANS TON TROU ! Elle me donne le cafard, ta piaule !! Et puis, cette putain de salope de sorcière qui n'arrête pas de me fixer avec ses yeux de patate ! Foutons le camp ! Allons faire des nuages dans ta cachette, sous le balcon de monsieur Boudin ! Tu sais… ? Le Bonhomme Sept-Heures !

Les marmottes ont des cachettes. Les marmottes ont plusieurs cachettes. Je lance des cailloux dans la fenêtre de monsieur Boudin. Devant sa maison, de chaque côté du balcon, il y a deux sapins qui touchent presque le ciel. Ma cachette est sous le balcon. Il n'y a pas assez d'espace pour me faufiler sous les traverses de bois, alors j'ai creusé un trou. Ça creuse, les marmottes. Pour rentrer dans ma cachette, je passe derrière un des sapins en me frottant le dos contre les briques brunes de la maison. Je lance souvent des cailloux dans la fenêtre de monsieur Boudin. Quand il tire un rideau pour voir ce qui se passe, je me faufile derrière le sapin et je glisse dans ma cachette. Là, je suis à l'abri. Pas de danger qu'il me trouve. C'est un fou, monsieur Boudin. Il est toujours habillé en noir. Il vit seul et il ne parle à personne. La sorcière disait : « C'est un sale Suif ! » Tarzan dit que c'est une drôle de race, les boudins. Il dit qu'on ne peut pas faire confiance à un Boudin. Un boudin, c'est comme un blôke : on ne sait jamais quand il va te planter un couteau dans le dos, entre les hommes aux plates. Le balcon de monsieur Boudin, c'est ma cachette. Je passe par le trou de marmottes et je me cache. Il y a une couverture, une perruque que j'ai volée à la reine d'Angleterre et, maintenant, la Scie Garète.

— Alors, tu la craques, cette allumette ? me demande-t-elle.

J'ai échappé l'allumette en feu dans la perruque de la reine d'Angleterre. Ça brûle vite, des cheveux de reine d'Angleterre. Ça crépite, des cheveux de reine d'Angleterre. J'ai transformé les cheveux de la reine d'Angleterre en nuages. Ensuite, c'est la couverture qui s'est transformée en nuages. Puis le sapin. J'ai juste eu le temps de sortir de ma cachette avant que je sois aussi transformé en nuages. J'ai laissé la Scie Garète sous le balcon. Je me suis assis sur le trottoir et j'ai vu l'escalier du balcon se transformer en nuages. Plusieurs personnes ont commencé à courir dans la rue. La maison de monsieur Boudin s'est transformée en nuages. Monsieur Boudin aussi. Il y avait de gros nuages noirs. C'était beau.

J'ai dit au policier que c'était la faute de la Scie Garète. Il m'a répondu :

— Sûrement, mon petit. Il a dû s'endormir en fumant.

J'étais vengé. Je venais de faire brûler le Bonhomme Sept-Heures qui nous avait fait tomber, la sorcière et moi. Sans m'en rendre compte, je venais de le tuer. C'est là que j'ai compris que la Scie Garète est dangereuse pour la santé.

J'ai entendu la sorcière rire dans ma tête. Ma vengeance, c'était aussi la sienne. Elle riait d'un rire de sorcière folle. Je pense que c'est à cause de son fils qui est mort en essayant de sauver les Suifs à la guerre. Il s'appelait Arsène, son fils. Quand on parle de mon oncle Arsène, il faut toujours avoir l'air triste. Il était dans le débarquement de Normand dit. C'est comme dans Jean dit. Quand Normand dit : « Vous débarquez ! », eh bien, vous débarquez ! Quand Normand dit : « Vous tuez les fritz ! », eh bien, vous tuez les fritz ! Quand Normand dit : « Vous êtes mort ! » , eh bien, vous êtes mort ! C'est ce qui est arrivé à mon oncle Arsène. Il allait sauver les Suifs parce que les Suifs mouraient comme des rats. C'était une colonie de Bonhomme Sept-Heures. C'est important, les Bonhomme Sept-Heures. Grâce à eux, les marmottes vont dormir à sept heures. Sans eux, on ne pourrait pas savoir quand il faut aller dormir. C'est parce qu'Arsène n'est jamais revenu que ma grand-mère s'est transformée en sorcière. Avant, elle était une fée. Les fées sont très fragiles. Souvent, il suffit d'un seul coup de tapette à mouches pour les tuer. Celles qui sont plus résistantes ne meurent pas tout de suite. Ça prend souvent des années avant qu'elles crèvent. Alors, elles deviennent des sorcières. De sales sorcières qui détestent tout le monde et qui tissent un cocon de tristesse autour d'elles. Et jamais elles ne deviennent des papillons. Les fées qui deviennent des sorcières restent sorcières toute leur vie. C'est ce qui arrive quand la tapette à mouches nous blesse au lieu de nous tuer.

Moi, je suis né la journée même où Arsène jouait à Normand dit. Normand dit : « T'es mort, Arsène ! », eh bien, il est mort, Arsène. C'est de ma faute s'il est mort.

Quand quelqu'un vient au monde, c'est parce qu'il y a quelqu'un d'autre qui meurt. J'ai pris la place de mon oncle Arsène. C'est ce que la sorcière m'a toujours dit. C'est pour ça que je suis un gros lâche. J'ai pris la place d'un héros de guerre. Si je n'étais pas né, Arsène serait revenu et tout serait parfait. Personne ne parlerait de lui avec un air triste, personne ne dormirait dans un trou de marmottes et personne ne serait obligé d'aller déposer des fleurs sur le monument du souvenir chaque automne. Tout le monde nous aimerait parce que tout le monde aime les familles de héros. Personne n'aime les familles de marmottes. Moi, je suis un héros dans le pâté chinois. Ce n'est pas la même chose. C'est moins héroïque de tuer des Chinois entre ses dents que de tuer des fritz en Normand dit. Arsène, il a donné sa vie pour les Bonhomme Sept-Heures. Il a donné sa vie pour que tous les monsieur Boudin du monde continuent à nous faire peur. Et moi, je viens d'en faire brûler un. Je ne sais pas trop quoi penser de tout cela. Je suis un peu désolé pour monsieur Boudin. J'avais peur de lui, mais je ne le détestais pas vraiment. Ma cachette est brûlée. C'est sûr.

13

Aujourd'hui, c'est le jour des Chinois. Je le sais parce que les beaux-parleurs-petits-faiseurs me l'ont dit hier. Les frères de la charité chrétaine me le disent toujours. C'est parce que je suis le meilleur acheteur de Chinois de toute l'école. Je suis un maudit-cochon-acheteur-de-Chinois. C'est drôle, ça, « maudit cochon » ! Il faut sauver les Chinois, sinon ils vont tous mourir. J'en ai sauvé des centaines jusqu'à maintenant. Mais, pour sauver des Chinois, il faut de l'argent. J'en trouve toujours, de l'argent. Il y en a dans le tiroir de la commode de Tarzan. J'en prends. Lui, il croit toujours que c'est Lapute qui lui vole le fruit de son travail. Si on prend une bouchée dans le fruit du travail de Tarzan, on reçoit une claque sur la gueule. S'il savait que c'est moi qui mange ses fruits pour acheter des Chinois, il me ferait voler comme un oiseau, comme monsieur Moncrisdecav. Comme le tiroir est toujours fermé à clé, il ne me croit pas assez intelligent pour surmonter cet obstacle. Rintintin se glisse la tête dans la petite fente et hop ! j'ouvre le tiroir. Rintintin et moi, nous formons toute une équipe !

Je trouve aussi de l'argent dans les poches du gros docteur Lamontagne. Je glisse ma main doucement dans sa veste pour sortir son portefeuille. J'attire son attention en lui posant des questions. Il m'explique ses calembours, je fais semblant de comprendre, puis je sors le portefeuille. Il est toujours plein d'argent, son portefeuille. J'en prends un peu, pas beaucoup. Vaut mieux pas beaucoup longtemps que beaucoup d'un seul coup ! C'est ma devise. Je sais que, de cette façon, je cours moins de risques de me faire prendre. Je ne comprends pas les calembours du gros docteur Lamontagne, mais je sais comment le voler. Chacun sa force. Lui, il est rapide avec sa tête ; moi, je suis rapide avec mes mains. L'important, c'est d'acheter des Chinois. Toujours et toujours plus de Chinois !

Quand je suis vraiment en manque d'argent, j'en trouve dans les poches de Ti-Guy Ratatouille. Je m'approche de lui et je le frappe. Un bon coup de poing sur la gueule, il tombe par terre et je fouille ses poches. Par mesure de précaution, la mère de Ti-Guy

Ratatouille lui donne toujours de l'argent. C'est pour les urgences. Comme j'ai besoin d'argent pour acheter des Chinois, je lui pète la gueule et je prends son argent. C'est urgent, de sauver les Chinois ! Elle a bien raison de donner de l'argent à son fils, madame Ratatouille.

Ce matin, je suis riche. J'ai des pièces blanches et beaucoup de pièces brunes. Je n'achète jamais mes Chinois avec du papier. Je ne suis pas fou. Je sais qu'on est beaucoup plus riche avec des pièces dans les poches. Plus ma poche est lourde, plus je suis riche. Le papier, ça ne pèse rien ! Je suis riche comme le gros docteur Lamontagne. Quand je marche, on entend les pièces qui discutent ensemble. Elles se trouvent chanceuses de servir à acheter des Chinois. Les pièces se promènent et dansent dans ma poche, elles rigolent. Je suis heureux comme mes pièces, heureux d'arriver enfin à l'école.

Avant de se mettre à vendre des Chinois, les frères de la charité chrétaine nous parlent de leurs missions. Ils font des missions en Chine. Ils vendent des Chinois pour fiancer leurs missions. Leurs missions, elles sont toutes fiancées. Les missions, ça ne se marie pas, ça se fiance. Je veux des Chinois, pas des discours. Je ne comprends rien. Les marmottes achètent des Chinois. Les marmottes ne comprennent jamais rien. Mes pièces seront remises à Yvan Gélisé. C'est lui qui dirige et fiance les missions. Je ne le connais pas, Yvan Gélisé. Yvan Gélisé travaille au nom d'Inri en Chine. Je veux des Chinois, je veux des Chinois ! Ils me demandent, les beaux-parleurs-petits-faiseurs, de dire merci à Tarzan et à Lapute parce qu'ils donnent des pièces pour Yvan Gélisé. C'est plutôt moi que je devrais remercier. Je suis le sauveur des Chinois. Et un sauveur, ça se remercie ! C'est long, c'est long ! Les frères de la charité chrétaine parlent et expliquent des choses qui ne m'intéressent pas. Sur le bureau, à l'avant, il y a des petites photos de Chinois. Les beaux-parleurs-petits-faiseurs me donnent des photos contre des pièces. Dans mon trou de marmottes, j'ai des centaines de photos de Chinois sous mon lit. J'en veux encore, j'en veux plus, toujours plus. C'est l'armée du sauveur. L'armée qui, un jour, éliminera les blôkes de la rue Maple. Les goddamfuckinfrenchs auront leur revanche. Nous ferons un gros débarquement de Normand dit. Les Chinois crieront :

— Ying ! Yang ! Voici le Grand Marmotte ! Voici notre sauveur ! La prophétie va se réaliser ! Nous marcherons dans la rue Maple ! Nous sauverons la reine d'Angleterre de Tarzan ! Plus personne ne dansera sur la reine ! Vive Marmotte ! Vive notre sauveur !

Je sais qu'ils seront aussi nombreux que les grains de blés d'Inde dans le pâté chinois.

C'est mon tour. Enfin ! Je vide mes poches. Les frères de la charité chrétaine sont impressionnés. Avec mes pièces, j'ai eu droit à treize Chinois. Je vois les autres qui en ont un ou deux et je ris. Moi, j'en ai treize. Treize de plus dans mon armée ! Parce que treize est un chiffre malchanceux, ils seront mon commando spécial. Les premiers qui vont mourir, ce seront ceux-là. Commando 13. Ils mourront comme Arsène est mort sur une plage de Normand dit. J'espère que Yvan Gélisé profitera bien de mes pièces pour fiancer ses missions parce que, moi, je vais faire mourir ses Chinois. Ils seront des héros, comme Arsène. On construira un grand monument à la mémoire de tous les Chinois morts pour Marmotte, le sauveur. Leur nom sera inscrit en haut du monument, en lettres majuscules.

Sont morts dans la guerre de Marmotte :

Poil Decul, Chinois commandant

Télette Emmaudit, Second

Gros Lâche, Communications

Moncrisdecav et Maudit Suif, Explosifs

Maudit Cochon, Frap Laverge, Joe Blo, Trou Ducu, Tupu Dlayeul, Maudit Malade, Tasse Toé, Vassu Liâb et Farm Tayeul, Soldats.

J'ai écrit leur nom derrière les photos. Quand le frère de la charité chrétaine a vu ce que je faisais avec mes Chinois, il a dit :

— Petit insolent ! Je vais t'apprendre le respect, moi !

J'ai ri. J'ai répondu :

— Je connais ça, le respect, Lapute me l'enseigne tous les jours !

Il m'a frappé sur la figure. J'ai ri. Il m'a frappé sur les doigts. J'ai ri et pendant qu'il m'enfermait dans le placard, j'ai crié :

— Je suis le sauveur des Chinois ! Mon commando 13 te coupera le cou ! Télette Emmaudit, Maudit Malade, Trou Ducu, Vassu Liâb !!!! À L'ATTAQUE !!!!

C'est dur d'être une marmotte.

C'est dur d'être un sauveur.

14

Une nuit où j'avais peur des yeux de la sorcière dans les patates, je suis sorti de mon trou de marmottes. Elle respirait fort, la sorcière. Je suis sorti de mon trou. En montant, j'ai fait bien attention à ne pas réveiller l'escalier. Elles crient, les marches, quand elles se font réveiller pendant la nuit. Je me disais que je pourrais demander à Tarzan d'enseigner le respect aux patates. Avec son cri de Tarzan, il aurait fait venir un troupeau d'éléphants pour écraser les yeux des patates. Lâké avait fini de parler. « Une passe, une passe, une passe et c'est le but !!! » Tarzan n'était pas très content de Lâké. Je le sais parce qu'il m'a envoyé dans mon trou de marmottes plus tôt que d'habitude. Lapute, elle, était partie chez les voisins avec mon frère de la planète des fruits. Au pied de l'escalier qui monte chez la reine, j'entendais Tarzan qui disait :

— T'es ma reine, ma p'tite reine à moi.

Je suis monté voir Tarzan. C'était avant que je sache que ma sœur est la reine d'Angleterre. Tarzan était dans la chambre de la reine d'Angleterre. Il lui parlait doucement, à la reine. Tarzan, il sait qu'elle n'est pas normale. Il sait qu'il lui manque un morceau, qu'elle est trop matisée. Il avait relevé sa jaquette et il regardait l'endroit où il manque un morceau. La reine d'Angleterre ne bougeait pas, elle était comme morte. Elle regardait le plafond. Je sentais que la reine avait peur. Une peur qui paralyse. La même peur que lorsque je regarde les yeux des patates. Tarzan la regardait en la touchant partout. Je pense que Tarzan cherchait le morceau manquant. Il cherchait beaucoup avec ses mains, doucement, en prenant son temps. La reine d'Angleterre, elle, ne bougeait pas, elle attendait qu'il trouve. Plus Tarzan fouillait, moins il trouvait. Mais il continuait quand même. C'était pour être certain. Tarzan lui disait :

— T'es ma reine, ma p'tite reine à moi.

Il cherchait le morceau partout sur son corps. Elle était maintenant complètement sans vêtements, la reine d'Angleterre.

— T'es ma reine, ma p'tite reine à moi tout seul.

Il était chaud, Tarzan. Il a mis la reine d'Angleterre sur le ventre et il a écarté ses jambes. Il était chaud, Tarzan, tellement chaud qu'il a baissé son pantalon. Il s'est étendu sur la reine d'Angleterre. Elle avait les yeux ouverts, la reine. Elle était comme la sorcière : morte avec les yeux ouverts, morte de peur. Puis elle m'a vu, la reine. Elle m'a vu dans l'entrebâillement de la porte. On s'est regardés, les yeux dans les yeux. J'ai compris que c'est dur de vivre quand il nous manque un morceau. J'ai compris que c'est pire que la verge, pire que se faire enseigner le respect, pire que frotter, pire qu'être une marmotte. Tarzan s'est mis à bouger et la reine a crié très fort ! Sa perruque a volé dans les airs et est retombée sur le plancher. Ça m'a fait sursauter et je suis tombé sur le dos. Je voulais faire quelque chose, je voulais l'aider, mais j'avais trop peur, moi aussi. Je suis redescendu le plus vite possible dans mon trou de marmottes pendant que Tarzan disait :

— T'es ma reine, ma p'tite reine bien à moi… C'est notre p'tit secret… Tu me coûtes cher, mais t'es juste à moi… juste à moi. Pour toujours.

15

Quand c'est mon anniversaire, je mange du gâteau. Je croise mes doigts, je fais un veau et je souffle les bougies. Puis Lapute me dit qu'elle espère que mon veau va se réaliser. Moi, j'espère que non. J'aime pas les veaux. Surtout quand il faut les manger. J'ai reçu un canif en cadeau. Il s'appelle Rintintin. Rintintin le canif. Il est rouge avec une lame qui sort et qui rentre. C'est l'ancien canif de monsieur Moncrisdecav. Je le sais parce que je l'ai vu tomber de sa poche quand Tarzan lui a fait faire l'oiseau. Tarzan l'a ramassé et l'a rangé dans l'armoire tout près des assiettes dans lesquelles on ne mange jamais parce que c'est pour les grands événements. Comme il n'y a jamais de grands événements, je ne les ai jamais bien vues. On aurait dû s'en servir lorsque la sorcière est morte. Quand une sorcière meurt, c'est un grand événement pour les marmottes.

J'ai aussi reçu une volée. C'était un cadeau de Tarzan. Une volée, c'est quand on vole comme un oiseau. Ça fait mal, mais ça en vaut la peine. C'est un cadeau très spécial. Ça te fait comprendre bien des choses. Quand j'ai reçu le poing de Tarzan dans la figure, j'ai compris que ce n'était pas comme d'habitude. La verge, c'est pour le respect ; le poing, c'est pour l'amour. La verge, ce n'est pas très personnel. Le poing, c'est un don de soi. La verge, c'est comme une branche de sapin qui pince. Le poing, c'est une sorte de caresse, c'est un geste d'amour. Les marmottes aiment bien se faire caresser.

Mon frère de la planète des fruits était sorti de la maison avec un chapeau pointu sur la tête. C'était un chapeau de fête, un chapeau de ma fête. De toute façon, ce sont toujours les mêmes chapeaux, fête après fête. Mon frère, il ressemblait à un cornet de crème glacée, mais à l'envers. Un cornet à deux boules. Sa grosse tête, c'était la crème glacée, et le chapeau pointu, c'était le cornet. Le voisin de l'immeuble d'en face était en train de jouer au cow-boy sur le trottoir. Il joue toujours seul. Normal. C'est un sale. C'est parce que c'est un kawish. Dans sa famille, ils sont tous sales. Ce sont de sales Indiens de kawishs de merde qui vivent sur le bras des honnêtes travailleurs et qui boivent de la bière tous les jours et que, si on leur a volé leur terre, c'était parce qu'ils étaient trop mous pour la défendre. Le kawish est toujours en bedaine. Quand il joue au cow-boy, ce n'est jamais lui qui fait l'Indien. Il a trop honte. Être un kawish, c'est comme une maladie de naissance qui te suit toute la vie. Lorsque le sale kawish a aperçu mon frère, il s'est mis à l'arroser avec son fusil-à-eau-spécial-du-Cow-boy-de-l'Espace-sur-les-boîtes-de-céréales — j'aimerais bien en avoir un mais, quand même, je suis content parce que j'ai maintenant mon canif Rintintin. Il riait de mon frère, le kawish. J'ai ri moi aussi, c'était drôle. Il était complètement trempé, mon frère de la planète des fruits. Je riais. Il avait les yeux tout ronds, mon frère. Des yeux qui se demandaient pourquoi il n'était pas reparti sur la planète des fruits avec Inri quand il en avait eu la chance. Le sale voisin de kawish de merde lui criait :

— T'es crème glacée ! Faire fondre ! T'es crème glacée ! Faire fondre !

Il ne sait pas très bien parler, le kawish de merde. Tarzan a tout vu par la fenêtre. Il est sorti, il a poussé son cri de Tarzan et je me suis figé. Le voisin a laissé tomber son fusil du Cow-boy-de-l'Espace et s'est sauvé à la course. Ça court vite, un kawish. Tarzan a lancé mon frère de la planète des fruits sur le balcon en lui disant de rentrer immédiatement.

Ensuite, il a fermé son poing et il m'a donné ma première volée. Son poing est venu frapper ma figure tellement fort que mon nez s'est cassé. J'ai été surpris. Pas tellement parce que mon nez n'arrêtait pas de saigner, mais plutôt parce que je suis passé par-dessus la clôture. J'ai décollé comme monsieur Moncrisdecav mais, moi, j'ai volé beaucoup plus longtemps. Quand on vole comme un oiseau, on sait toujours d'où on part, mais on sait rarement où on atterrit. J'ai échappé Rintintin en m'écrasant contre la clôture. Heureusement, je l'avais attaché avec une laisse à la ceinture de mon pantalon. Tarzan m'a soulevé avec un seul bras et il m'a dit, doucement, très doucement, dans le creux de l'oreille :

— Écoute bien, ti-gars. Quand tu ris de ton frère, tu ris de ton père. Quand un étranger rit d'un membre de notre famille, c'est de moi qu'il rit. Ma famille, c'est moi. Je ne veux plus jamais voir se reproduire une chose pareille. Un coup de poing sur la gueule, ça guérit. Un coup de poing dans l'orgueil, ça, ça guérit difficilement. Plus personne ne va rire de ton frère. Jamais. Tu vas planter tous les p'tits morveux qui vont même sourire en le regardant. La tête d'eau, c'est pas sa faute à lui. Si tu fais pas ce que je te dis, c'est moi qui va te ramasser... me comprends-tu, ti-gars ? Si tu m'écoutes pas, je vais te battre jusqu'à ce que tu sois couvert de bleus. Là, tu vas commencer par aller péter la gueule de c't'enfant d'chienne qui vient de se sauver. Plus tu vas le frapper fort, moins tu risques de te faire frapper ensuite à la maison. Retrouve-le vite, ti-gars, perds pas de temps !

J'étais content. J'étais maintenant un genre de Tarzan, moi aussi. J'ai pris Rintintin et je lui ai dit :

— Nous avons une mission, Rintintin, mon fidèle compagnon. Nous devons chasser l'Indien. C'est notre première mission et il faut bien la remplir !

16

Tu vois, Rintintin, c'est ça, l'amour. L'amour, c'est quand il y a quelque chose qui bout en dedans et qui, tout à coup, explose dans la figure de quelqu'un d'autre. L'amour, c'est l'envie de prendre quelqu'un dans ses bras pour mieux l'étouffer. C'est comme pour toi, Rintintin : je te serre tellement fort que je te paralyse. Les choses ou les gens qu'on aime nous obligent à les contrôler, à les serrer de plus en plus fort. Il y a plusieurs façons de serrer, d'étrangler et de paralyser l'autre. Tu vois, Rintintin, regarde le sale kawish de merde par terre. Nous l'avons attrapé. Il est là, il nous regarde, il a peur. Il n'a même plus son fusil du Cow-boy-de-l'Espace pour se défendre. Je lui ai mis mon poing dans la figure, une fois, deux fois et CRACK ! trois fois ! Maintenant je le contrôle, maintenant je l'aime. Il est tout à moi, je peux en faire ce que je veux. Je suis la marmotte et, lui, c'est la patate. Les marmottes aiment beaucoup les patates, c'est pour ça qu'elles les mangent. C'est essentiel à la survie des marmottes. Il a fallu tuer Inri pour l'aimer ensuite. On aime les gens qu'on contrôle et ceux qui nous contrôlent nous aiment. Regarde, Rintintin, je t'aime parce que je te contrôle. Comme un fidèle compagnon, tu fais ce que je veux. Ta lame ouverte, tu survoles les yeux du sale kawish, il a peur et je ris. Tu danses dans l'air comme monsieur Boudin à travers les nuages, comme les nuages de la Scie Garète qui voulait me contrôler, comme la verge qui tombe après le pipi, comme Tarzan sur la reine d'Angleterre.

Je suis une marmotte, le kawish. C'est dangereux, une marmotte. Je te présente Rintintin, le kawish. Rintintin, c'est la griffe de la marmotte. Rintintin, c'est le clou qui fixe Inri sur la verge. Rintintin, c'est aussi les yeux des patates qui te regardent. Rintintin, c'est la mâchoire qui fait exploser les Chinois. Rintintin, c'est le feu qui fait cuire les monsieur Boudin. Rintintin, c'est l'amour. Dis bonjour à Rintintin, le kawish ! Tu n'es pas un vrai Cow-boy-de-l'Espace, le kawish. Rintintin va te punir. Regarde mon nez, le kawish, il est cassé. Je porte maintenant la marque de Tarzan sur ma figure. C'est la marque de la jungle, la marque de l'Afrique, la marque de l'amour. Je n'ai pas le choix, c'est ma peau ou la tienne. Je te conseille de faire ta prière en lapin, le kawish. Tu aimerais bien que quelqu'un vienne te sauver mais, ici, dans le petit bois à côté des machines qui construisent la route et le pont, il y a trop de bruit. Arrête de crier, personne ne va t'entendre. Absolument personne.

— ATTAQUE, RINTINTIN !!! ATTAQUE !!!

17

La reine d'Angleterre pousse souvent des cris dans la nuit. Elle crie tellement fort qu'elle réveille toute la famille. Lapute monte la voir. Elle lui caresse la tête et elle dit : « C'est un cauchemar, ce n'est pas grave. » Moi, je devine que c'est grave ; je sais ce qui se passe après Lâké. Maintenant, la reine d'Angleterre ne fait plus rien. Elle ne va même plus à l'école. Elle reste dans sa chambre, la porte fermée. Le gros docteur Lamontagne dit que c'est parce qu'elle est trop matisée. Le gros docteur Lamontagne dit qu'elle a un nuage dans la tête. Une sorte de nuage qui bloque son cerveau. Tarzan, lui, dit qu'elle est folle. Moi, je sais que le nuage est dans sa tête à cause du morceau qui lui manque. Tarzan aussi le sait, mais il ne le dit pas. Il ne veut pas tout dire au gros docteur Lamontagne, c'est à lui de trouver.

Après tout, Lapute le fait venir pour ça, sinon à quoi il servirait, le gros docteur Lamontagne ? Moi, je sais aussi que c'est Tarzan qui empêche la reine de sortir. Il ne veut plus qu'elle voie les gens ni même qu'elle leur parle. Il dit que c'est une honte pour la famille d'avoir un enfant comme ça. C'est drôle, parce que c'est sûrement à cause de lui qu'elle a perdu tous ses cheveux. Tarzan dit que, de toute façon, une fille, ce n'est pas fait pour aller à l'école. Je sais qu'il l'aime. Il la contrôle. Tarzan la tient tellement fort dans ses bras que la reine étouffe. Lapute ne dit rien parce que Tarzan lui enseignerait le respect. C'est ça, le véritable amour. C'est ça, le grand amour. « Maudit cochon ! » C'est drôle, ça, « maudit cochon ».

Elle ne mange presque plus rien, la reine d'Angleterre. Elle ne mange même pas ses patates. Je monte dans sa chambre et c'est moi qui finis son assiette. La reine d'Angleterre regarde par la fenêtre et, moi, je mange. C'est bon de souper deux fois de suite. Parfois, elle me parle un peu mais je ne l'écoute pas. Je parle marmotte, moi. Pas reine d'Angleterre. Parfois, elle brosse sa perruque en fredonnant. Elle fait semblant que ce sont ses vrais cheveux. Elle rêve de sortir. L'autre jour, elle a arraché la tête de toutes ses poupées. Ça faisait beaucoup de têtes sur son lit. Elle dit souvent que le prince charmant va venir la chercher. Il doit être fou, le prince charmant.

Pourquoi il voudrait d'une reine d'Angleterre trop matisée, qui ne peut même pas sortir et qui n'a pas un poil sur le caillou ? Je ne comprends rien. Elle parle reine d'Angleterre.

Aujourd'hui, je suis remonté à sa chambre pour manger ce qu'il y avait dans son assiette. Il faut que je me faufile. Si Lapute me voyait, elle sortirait la verge. « Maudit cochon, tu manges tout le temps ! » Moi, j'aime ça, « maudit cochon ». C'est drôle, ça, « maudit cochon ». Je fais semblant d'aller jouer dehors avec mon frère de la planète des fruits. Je l'attache à un arbre et je monte le long du mur de la maison en me servant du treillis. Je suis très agile. Je suis une marmotte. De ma main gauche, j'agrippe les fils de métal et j'escalade le mur. Rintintin m'aide beaucoup aussi. Lui, il s'accroche aux croisements des fils pour m'aider à avoir une meilleure prise. La première fois que je suis monté, c'était pour savoir si la reine d'Angleterre était morte. Ça faisait longtemps qu'on ne la voyait plus. Elle m'a laissé entrer, puis j'ai mangé ses patates. C'est bon, les patates ! Maintenant, je monte tous les soirs après le souper. Mon frère de la planète des fruits a toujours hâte de se faire attacher. Il me regarde monter et il sourit. Je crois qu'il voudrait bien être une marmotte.

La reine m'a dit qu'elle voulait mourir. J'ai répondu :

— Pas de problème, je peux t'arranger ça.

Il y a eu un silence. Il y a eu un long silence. On n'entendait que le son de mes mâchoires de marmotte qui achevaient de manger les patates. La reine a été un peu surprise de ma réponse. Elle ne savait plus quoi dire. Moi, je ne savais plus quoi faire, il n'y avait plus rien à manger. J'ai entendu Lapute qui montait. Je me suis vite caché sous le lit. Lapute est entrée. Elle a dit à la reine :

— C'est bien, tu as bien mangé.

J'ai failli répondre : « Oui, merci, j'aime ça, les patates. » Mais je n'ai rien dit. La reine d'Angleterre non plus n'a rien dit. Lapute a ajouté :

— Tu ne veux pas ouvrir la fenêtre pour avoir un peu d'air ?

J'ai failli répondre : « Oui, ça me ferait du bien, j'étouffe, moi, sous le lit. » Mais je n'ai rien dit. Ensuite, Lapute a commencé à pleurer doucement. Elle s'est assise sur le lit et elle a pleuré. Lapute a pris la reine d'Angleterre dans ses bras et elles ont pleuré ensemble. Il y avait de grosses gouttes qui tombaient sur le plancher. Il y en avait tellement que j'ai pensé que j'allais me noyer. Ça faisait comme de petits lacs sur le plancher. Elles pleuraient en silence. Ensuite, elles se sont étendues sur le lit, l'une contre l'autre. Je le sais parce que ça faisait une grosse bosse sous le matelas et que je ne pouvais plus bouger. On aurait dit que leurs corps me touchaient. Elles m'écrasaient. Je ne pouvais presque plus respirer non plus. Elles sont restées longtemps comme ça. Tellement longtemps que le soleil s'est couché. Il faisait noir et j'avais encore faim. Puis Tarzan est revenu d'Afrique. Lapute s'est alors vite relevée et elle est redescendue à la cuisine. Moi, j'ai pu enfin respirer un bon coup. Quand j'ai entendu l'eau du bain couler, je suis sorti d'en dessous du lit. La reine d'Angleterre dormait. J'ai sauté par la fenêtre comme seule une marmotte sait le faire. Mon frère, toujours attaché à l'arbre, dormait lui aussi. En le détachant, je lui ai dit :

— Je suis là, réveille-toi !

Il a souri. Je pense qu'il était content que je le détache. Il s'est levé, puis il est tombé sur le dos. Peut-être que ses jambes étaient restées trop longtemps dans la même position. Ses grands yeux se sont mis à fixer le ciel. Je me suis couché près de lui et nous avons regardé les étoiles. Il a levé son doigt pour me montrer un petit point bleu dans le ciel. J'ai compris que c'était la planète des fruits. Je lui ai demandé :

— Pourquoi t'es pas parti quand Inri est venu l'autre jour ? Pourquoi tu restes ? Il y a sûrement des tonnes d'étoiles à visiter, des tonnes de nouvelles maisons à habiter, des tonnes de marmottes à connaître ?

Il a souri, puis il a haussé les épaules. J'ai entendu :

— Dessine-moi un mouton.

18

— Dis-moi, mon petit, comment tu t'appelles ?

— Je m'appelle Marmotte, monsieur le policier.

— Tu t'appelles Marmotte ?

— Oui.

— Marmotte comment ?

— Marmotte Marmotte.

— Et ton père, comment il s'appelle ?

— Tarzan.

— Hum... Tarzan Marmotte, je suppose ?

— Non, Tarzan Tarzan.

— Et il fait quoi dans la vie, ton père ?

— Il travaille en Afrique.

— Ouais... Tarzan... Normal qu'il travaille en Afrique...

— C'est normal, oui.

— Donc, tu t'appelles Marmotte et ton père s'appelle Tarzan ?

— Oui, il pousse le cri de la jungle et il travaille en Afrique. Le coup des éléphants, c'était lui.

— Quels éléphants ?

— Ceux qui ont tout démoli dans la rue.

— Fais bien attention de ne pas rire de la police, toi !

— Tout le monde le fait.

— Faut pas rire de la loi, mon petit !

— La loi, non, la police, oui !

— Bon... ça suffit ! Qu'est-ce qui est arrivé à ton nez ?

— Une caresse du roi de la jungle.

— Tu t'es battu ?

— Non, je suis devenu l'esclave de Tarzan.

— Hum !... Tu habites où, Marmotte ?

— Dans un trou. À côté des yeux des patates.

— Hum ?... Où est ta maison ?

— C'est celle-là !

— Hum... c'est... c'est une... belle maison...

— Non. Pas vraiment.

— Ouais...

— ...

— Bon. Tu as des amis dans le coin ?

— Non.

— Tu n'as pas d'amis ?

— Juste Rintintin.

— Ton chien ?

— Non, mon canif.

— Écoute, jeune homme... concentre-toi bien et réponds-moi.

— C'est ce que je fais depuis tout à l'heure, monsieur le policier.

— Bien. Bien. Tu connais la famille qui demeure au deuxième, là ?

— Oui, c'est une famille de sales kawishs de merde !

— Tu connais leur plus jeune fils, Jean Pettiquew ?

— Qui ?

— Regarde cette photo… Tu le connais ? Tu l'as déjà vu ?

— Oui, c'est le Cow-boy-de-l'Espace !

— Quand l'as-tu vu pour la dernière fois ?

— Lorsque j'ai joué avec Rintintin.

— Vous avez joué ensemble avec Rintintin ?

— Oui.

— Vous avez joué à quoi ?

— Aux cow-boys et aux Indiens.

— Ensuite, il a fait quoi, Jean Pettiquew ? Il est rentré chez lui ?

— Non. Il était mort. Je l'ai tué comme un vrai cow-boy.

— Mais, le cow-boy, ce n'était pas lui ?

— Non, lui, c'était l'Indien.

— Il t'a dit qu'il voulait faire une fugue ? Tu sais, partir loin, retourner sur la réserve avec son grand-père ? Quelque chose dans ce genre-là ?

— Non, la seule chose qu'il a dite, c'est : « T'es crème glacée. Faire fondre. »

— C'est tout ce qu'il a dit ?

— Oui. Deux fois.

— Deux fois quoi ?

— Il a dit deux fois : « T'es crème glacée. Faire fondre. »

— Bon. Ton père est là ?

— Non, il est en Afrique. Il travaille.

— Ah oui… Tarzan… Et ta mère, je suppose que c'est Marilyn Monroe ?

— Non, c'est Lapute.

— C'est une pute, ta mère ?

— Tarzan l'appelle toujours comme ça.

— Pourquoi ? Elle reçoit des clients ?

— Non, excepté monsieur Moncrisdecav.

— Qui ?

— Monsieur Moncrisdecav.

— Et c'est qui, lui ?

— C'était le meilleur ami de Tarzan. Comme lui, il travaillait en Afrique. Un jour, il s'est changé en oiseau et il s'est écrasé dans la rue. C'était son aimant, à Lapute. Il venait à la maison quand Tarzan était en Afrique. Comme Tarzan, il faisait du temps en Afrique. Tous les deux, ils faisaient du temps, mais pas en même temps. Il se collait sur Lapute comme un aimant. C'était son aimant à elle. Quand monsieur Moncrisdecav venait prendre un café, je devais aller dormir. Maintenant, il ne vient plus à la maison parce que l'horloge en Afrique a explosé. C'est à cause du carbure. Tarzan a dit à ma mère que c'était une pute et qu'il allait la tuer si elle avait encore de la visite, si elle avait encore un aimant. Il était fâché contre monsieur Moncrisdecav, Tarzan. Il l'a lancé par la fenêtre en lui disant : « Je vais t'enseigner le respect, Moncrisdecav ! » Monsieur Moncrisdecav a volé par la fenêtre. Il était chaud, Tarzan. Chaud comme le pipi. Il a ramassé Rintintin qui était tombé des poches de monsieur Moncrisdecav et il l'a mis dans l'armoire du haut. Quand Lapute est revenue de chez les voisins, elle s'est fait enseigner le respect elle aussi. Elle avait joué avec la patience de Tarzan. Maintenant, elle sait vraiment ce que c'est, le respect, Lapute. Il lui donnait des coups, Tarzan. Des coups de poing, des coups de pied et toutes sortes d'autres caresses. Il la caressait en criant : « T'es une pute, une sale chienne de pute ! » Il lui disait aussi d'autres mots, mais je ne m'en rappelle plus. Moi, j'ai tout vu parce que j'étais caché à côté de l'entrée de mon trou de marmottes. J'avais la tête sortie et je regardais. C'était beau. C'était la première fois que je voyais Tarzan caresser Lapute avec autant de force. Après, ma mère était tellement contente qu'elle est restée à la maison, sans bouger, pendant une semaine. La reine d'Angleterre préparait les repas pour tout le monde. Elle allait souvent dans la chambre de Lapute pour la voir. Une semaine sans sortir, elle était bien, Lapute. Alors, Tarzan en a profité pour interdire aussi à la reine d'Angleterre de sortir. Il ne veut pas qu'elle se trouve un aimant, elle aussi. C'est sa petite reine à lui. Il la caresse partout avec ses mains et souvent, après Lâké, il se couche sur elle et lui dit des choses dans le creux de l'oreille. Au début, je pensais qu'il lui racontait Lâké, mais maintenant je sais que non. « Maudit cochon ! » C'est drôle, ça, « maudit cochon ».

— Bon. Je… je ne suis pas certain d'avoir bien compris mais… je… tu… C'est pas grave… Va jouer, mon p'tit gars. J'ai fini avec toi.

Je n'ai pas bougé. Le policier a regardé longtemps notre maison, il a fait un nuage avec la Scie Garète, puis il est parti. Il a pris des notes, le policier. Je pense qu'il a écrit ce que je lui ai dit. Il a écrit pour se rappeler. Il faut se rappeler les belles histoires d'amour.

19

Je suis un grand turbateur. Je ne vais plus à l'école. Les beaux-parleurs-petits-faiseurs de la charité chrétaine disent que je suis un turbateur, même plus : un père turbateur. Quand on est le père de quelque chose, c'est parce qu'on est quelqu'un. Ils disent ça parce que je ne pense pas avant d'agir. C'est ce qu'ils m'ont dit. Tout ça parce que j'ai fait tomber Ti-Guy Ratatouille dans les marches du grand escalier de l'école. C'était pas grand-chose, je lui ai déjà fait pire. Ils ont dit que c'était la goutte qui a fait déborder le vase. Je n'ai rien compris. Il était où, le vase ?

C'était une grave chute. Ils ne savent pas si c'est vraiment moi qui l'ai poussé. De toute façon, dès qu'il arrive quelque chose de grave dans le coin et que je suis près du coin, c'est de ma faute. C'est ça, être un turbateur !

Dès qu'il y a de la merde, c'est le grand turbateur qui est accusé. Il s'est fendu la caboche, Ti-Guy Ratatouille. Il a fait toute une descente ! De toute façon, c'est une pédale. On n'aime pas les pédales à l'école. Une pédale, c'est quelqu'un qui n'agit jamais de la bonne façon. C'est quelqu'un qui pleure tout le temps et qui se plaint aux beaux-parleurs-petits-faiseurs de la charité chrétaine. Il faut leur lancer des cailloux, aux pédales. Il faut leur donner des coups de pied et des coups de poing. Il faut rire d'eux. Il est tout petit et tout frisé, Ti-Guy Ratatouille. Il est tout maigre aussi. Il ne se défend jamais. On peut lui mettre le pied au cul, il ne dit rien, il pleure. C'est plaisant de le voir pleurer. Il devient rouge comme une tomate. C'est comme s'il pleurait par en dedans. Il rouille. Il a des taches de rouille partout sur les bras, sur la figure et même sur les fesses. Je le sais parce qu'une fois on s'est amusés à le déshabiller. Il courait en cherchant un endroit pour se cacher. Tout le monde riait de lui dans la cour de récréation. Il est rouillé partout, Ti-Guy Ratatouille. Il est rouillé de la tête aux pieds. À force de pleurer par en dedans, il rouille. Il n'a jamais dit que c'était moi qui avais eu l'idée de le mettre à poil. Je ne m'attendais pas à ça. C'était une grande idée de chef de bande, ça. J'avais une petite équipe de turbateurs avec moi. Les mêmes avec qui je m'amuse à péter la gueule aux blôkes de la rue Maple. Je lui avais dit, à la pédale :

— Si tu parles, Ratatouille, t'es mort !

Il n'a jamais parlé mais les beaux-parleurs-petits-faiseurs de la charité chrétaine se sont bien doutés que c'était moi. C'est certain, je suis le père turbateur. Les marmottes sont d'excellents turbateurs.

Toute une descente ! La tête, le dos, les fesses, une jambe dans la rampe, la tête, les fesses, un bras dans la rampe, le dos, les fesses, la tête dans la rampe puis… atterrissage dans le cadre d'une porte, les dents du haut en premier. Un vacarme incroyable ! Toute une descente ! Tout le monde s'est regroupé autour de lui. Il saignait beaucoup. Il saignait même des oreilles. Ç'a été le moment de gloire de Ti-Guy Ratatouille. Pour la première fois de sa vie, personne ne l'insultait. Il n'était plus une pédale, il était une victime. Tout le monde était content du spectacle. À l'école, ils en ont parlé pendant des semaines. Quand je ferme les yeux, je peux revoir toute sa chute au ralenti. Les marmottes aiment bien revoir les grands moments de leur vie.

On dit que c'est moi qui ai fait déborder le vase, mais je n'ai rien fait. D'abord, il est où, ce vase ? Moi, je n'ai rien fait. Ti-Guy Ratatouille a eu peur de Rintintin. Ce n'est pas de ma faute si c'est un peureux. Il montait l'escalier pour se rendre à sa classe. Quand il est arrivé en haut des marches, j'étais là. Comme le hasard fait bien les choses, je me suis dit que je pourrais peut-être lui montrer Rintintin. C'était pour rire, pour lui faire un p'tit peu peur. Quand il m'a vu en haut de l'escalier, il s'est figé. Ratatouille avait les yeux ronds comme des billes. En le regardant, j'ai sorti Rintintin ! Avant même que je fasse « BOU ! », Ratatouille a dégringolé. Maintenant, on dit que je suis un père turbateur.

Ils m'ont enlevé Rintintin. Quand j'ai raconté l'histoire aux beaux-parleurs-petits-faiseurs, ils m'ont demandé qui était Rintintin. J'ai sorti Rintintin. Ils ont vu Rintintin. Ils ont pris Rintintin. Ils m'ont dit que j'étais un père turbateur et que je n'avais plus le droit de revenir à l'école. Ils ont dit que je suis un imbécile qui ne pense jamais avant d'agir. Ils ont dit que je devrais entrer à l'école des métiers le plus tôt possible pour faire quelque chose de constructif. Je me suis défendu en disant que je savais que j'étais un imbécile parce que Lapute me le répète souvent. J'ai dit :

— Redonnez-moi Rintintin tout de suite ou je pousse le cri de la jungle ! Vous allez voir les éléphants ! J'ai la marque de la jungle, la marque de l'amour. Je vais faire trembler la terre !

Ensuite, j'ai poussé le cri de la jungle. Ils se sont jetés sur moi pour me faire taire. Moi, je criais, je criais comme jamais, je criais comme Tarzan, comme un vrai turbateur. Ils m'ont traîné de force à l'extérieur, puis ils ont refermé la porte. J'ai pris une grosse pierre et je l'ai lancée sur une vitre. Elle a volé comme un oiseau. Ensuite, je suis rentré à la maison. Sans Rintintin. Tout seul.

J'avais envie de pleurer, tellement je me sentais seul. D'habitude, il était là, sur ma cuisse ou encore dans la poche arrière de mon pantalon. Je savais que j'avais un ami fidèle. Je savais que je pouvais compter sur lui, toujours. Pour l'éternité. Je l'aimais, Rintintin. Je le contrôlais.

Lapute m'a mis en pénitence pour me faire réfléchir. Deux jours dans mon trou de marmottes pour me faire réfléchir. Deux jours à frotter la maison. Frotte, frotte, ça occupe. Quand on frotte, on ne fait pas de bêtises. Deux jours à penser continuellement à Rintintin. Deux jours à regarder les yeux des patates. Le pipi, la verge. Les marmottes font toujours la même chose. C'est long, faire toujours la même chose. Parfois, la nuit, quand j'ai trop peur, j'appelle Rintintin. Je dis : « Viens, Rintintin, viens voir ton maître. »

Il paraît que Ti-Guy Ratatouille va demeurer légume toute sa vie. Légume, ça veut dire qu'il est en pénitence pour la vie. Bien fait pour lui ! C'est ce qui arrive aux peureux. Je m'en fous, je veux Rintintin.

20

J'ai trouvé une bouteille de baboche. Parfois, c'est long, les punitions. Il faut bien passer le temps et on veut savoir pourquoi on devient chaud quand on boit de la baboche. Pourquoi on devient chaud comme le pipi. J'ai trouvé la baboche en passant près de la fournaise à l'huile, dans mon trou de marmottes. Elle était parmi d'autres bouteilles. Je les ai toutes reniflées. Quand mon nez a flairé la même odeur que celle de l'haleine de Tarzan, j'ai su que c'était de la baboche. J'étais nerveux. J'étais content. Je me suis dit que je pouvais sûrement y goûter parce que je suis un « maudit cochon ». C'est drôle, ça, « maudit cochon ». J'ai ouvert la bouteille, doucement. Je voulais être certain que les patates ne m'entendent pas. Au début, je voulais goûter seulement. Juste une gorgée pour savoir. Je voulais comprendre pourquoi Tarzan devient chaud quand il boit.

La brûlure ! Une gorgée de baboche, c'est comme passer et repasser sa main très vite sur le tapis. Ça chauffe beaucoup plus que le pipi. Ça serre la gorge tellement fort que les larmes montent aux yeux. Je pensais que mes dents allaient fondre. C'est fragile, des dents de marmotte. J'ai senti la baboche qui descendait lentement dans mon ventre. Je me suis dit qu'elle ressortirait sûrement par mon nombril. Non, elle est restée là, dans ma bedaine, à chauffer. C'était chaud, tellement chaud. Après, elle est passée dans mes jambes, puis, après avoir touché mes talons, elle est remontée d'un coup dans ma tête. Elle a commencé à me chatouiller sous les paupières. J'ai souri. C'était bon, c'était chaud. J'ai pris une autre gorgée, une autre et encore beaucoup d'autres.

Mon lit a commencé à creuser. J'étais couché et mon lit creusait un trou. Il creusait tellement vite ! C'était un trou profond dans lequel je tombais. J'ai vu une lumière. Une lumière qui se dirigeait vers moi. Je ne tombais plus. Derrière la lumière, il y avait une figure. Une figure ronde avec des yeux bridés. Une grosse figure jaune. Un Chinois. Il y avait un Chinois qui me regardait ! Il m'examinait. J'ai dit :

— Ying ! Yang ! J'ai fait un long chemin pour venir jusqu'à toi !

Le Chinois a répondu quelque chose en chinois. D'autres Chinois sont arrivés. Ils avaient tous des casques jaunes. Des casques jaunes avec une lumière dessus. Il y avait de la lumière partout. Ça bougeait, ça discutait. Un des Chinois s'est avancé et m'a dit :

— Nous sommes les mineurs ! Ying ! Yang ! Les mineurs chinois ! Toi, qui es-tu ?

J'ai répondu :

— Je suis Marmotte ! Ying ! Yang ! Votre sauveur !

Ils m'ont pris en criant :

— C'est notre sauveur ! Ying ! Yang ! La prophétie s'est réalisée !

Ils m'ont reposé par terre et ils se sont remis à crier :

— Voici celui que nous avons trouvé pour te sauver, chère reine !

J'avais toujours cru que les Chinois avaient un roi. C'est une reine qu'ils ont. Elle était là, devant moi. Elle était tout enrobée de patates. Des patates pilées partout sur elle. On voyait à peine son corps. Elle a claqué des doigts et les Chinois se sont mis à la lécher. Ils mangeaient les patates. Plus ils mangeaient, plus je pouvais voir clairement la reine. Elle était complètement sans vêtements, la reine. Elle ne bougeait pas. Elle se laissait faire. Ils étaient partout sur elle. Quand ils ont eu fini, j'ai aperçu le visage de la reine. Elle avait les yeux ouverts, les yeux ouverts comme la sorcière. Elle n'avait pas de cheveux. C'était la reine d'Angleterre, ma sœur. Elle s'est avancée vers moi. J'ai dit :

— Il te manque un morceau, la reine.

Les Chinois ont crié :

— La prophétie ! Ying ! Yang ! La prophétie !

Elle m'a pris dans ses bras en me serrant très fort. J'ai aussi vu monsieur Boudin. Il était habillé tout en noir avec un foulard blanc autour du cou. Il a déroulé une grande feuille de papier, puis il a dit :

— Comme il est écrit dans les étoiles, dans le ciel et dans les patates, une marmotte viendra un jour pour libérer les Chinois du mal originel. Comme un trésor, une marmotte sera trouvée sous la terre. Une marmotte viendra mettre fin aux malheurs de notre reine d'Angleterre. Une marmotte viendra enseigner le respect à la grande verge elle-même. On parlera du courage de la marmotte pendant des siècles et des siècles. Le libérateur des Chinois est ici pour accomplir sa mission. Notre reine est à toi, Marmotte.

La reine a commencé à se frotter contre moi. Elle se frottait, la reine. Puis ses lèvres ont touché les miennes. Mon zizi est devenu dur, dur comme de la roche. Les Chinois criaient :

— La prophétie ! Ying ! Yang ! La prophétie !

La reine me touchait partout. Elle flottait au-dessus de moi comme un fantôme. Elle dansait doucement en se frottant contre moi.

Elle montait, elle descendait. Elle avait une odeur de patates. Son corps était encore chaud de la langue des Chinois. Je ne pouvais rien dire, je ne pouvais rien faire. J'étais paralysé de peur. Elle riait, la reine d'Angleterre. Ses cheveux avaient repoussé. Ils étaient longs, tellement longs qu'ils faisaient des boucles autour de son corps. Ses cheveux touchaient mon corps et mon zizi. Ses mains aussi. Les Chinois criaient de plus en plus fort :

— La prophétie ! Ying ! Yang ! La prophétie !!!

Sa peau était douce. Tellement douce qu'on aurait dit mon pantalon en cordes du roi du dimanche. Elle me touchait partout, de plus en plus vite. Elle riait, elle était bien. La reine d'Angleterre était tellement belle, complètement sans vêtements. On aurait dit un ange. Un ange aux cheveux longs. C'est là que j'ai compris que, le morceau qui lui manquait, c'était moi qui l'avais. J'avais son morceau à elle. C'est moi qui avais un morceau de trop. J'ai vu dans ses yeux qu'elle voulait que je le partage avec elle. Elle voulait le prendre en elle. C'est ce qu'elle a fait. Elle riait, elle était heureuse. Elle flottait dans les airs, ses cheveux dans le vent. Les Chinois avaient cessé de crier. La prophétie se réalisait. Monsieur Boudin regardait les Chinois en récitant des prières.

J'avais chaud, plus chaud que le pipi, plus chaud que la baboche, plus chaud que l'Afrique. J'ai explosé. C'est comme si tout mon corps avait explosé par en dedans pour ensuite ressortir par mon zizi. La reine a crié un peu, un tout petit cri étouffé. Puis elle est retombée sur moi. Elle est retombée d'un coup, en soupirant. Les Chinois se sont mis à chanter :

— Ying ! Yang ! Marmotte ! C'est Marmotte ! Ying ! Yang ! Le sauveur des Chinois ! Le sauveur de la reine d'Angleterre !

21

Je suis monté le long du mur jusqu'à la fenêtre. C'était la nuit. Une nuit noire comme le trou d'une marmotte. Je suis monté. J'avais chaud. Chaud comme le pipi, chaud comme la baboche, chaud comme la reine qui danse, chaud comme quand on explose, chaud... trop chaud. J'ai frappé à la fenêtre. J'ai frappé fort. La reine est enfin venue ouvrir. Elle était surprise, la reine. Elle ne savait pas quoi dire, elle ne savait pas quoi faire. Elle était presque sans vêtements, la reine. Elle est belle, la reine. Je voulais lui raconter tout mon rêve, mais elle était tellement belle que j'ai oublié. Dans la lumière de la lune, je voyais à travers sa robe de nuit, je voyais à travers son corps, je voyais à travers elle. Elle souriait. Elle semblait contente de me voir. Elle demeurait près de la fenêtre. Je me suis assis sur son lit. Le vent s'est enroulé dans sa robe de nuit et faisait danser ses vêtements, son presque-sans-vêtements. Je voyais la lumière de la lune caresser sa tête, sa tête de reine sans couronne. Je pense que j'ai vu ses yeux pour la première fois. Ils sont verts, les yeux de la reine. Ils sont comme le printemps. Ils sont comme le soleil qui chauffe la peau après l'hiver. Je voyais son corps, son corps fait comme une bouteille de Coke, son corps qui dansait doucement avec le vent. Puis elle a ri. Elle s'était mise à rire. Elle a un tout petit rire, la reine. Un rire clair comme la lune. Un rire qui sort comme un oiseau sort d'une cage. C'est un rire qui fait danser. J'ai ri, moi aussi. Ses dents blanches faisaient des rayons de lumière dans la pièce. Elle paraît grande, la reine, parce que c'est une reine mais, en réalité, elle est petite. Elle est toute petite, toute fragile, toute douce. Devant la fenêtre, elle s'est mise à fredonner une chanson. De temps en temps, elle s'arrêtait pour rire. Moi aussi, je riais. Elle a commencé à danser doucement dans le vent, dans la lumière, dans ses yeux, dans son presque-sans-vêtements. La reine d'Angleterre, c'est une fleur qui danse dans la rosée, dans le matin qui se lève. C'est une fleur qui s'ouvre rapidement et qui se referme aussi vite. J'ai vu la reine s'ouvrir pendant que les premiers rayons du soleil coloraient sa peau, sa tête sans couronne de reine, ses yeux verts. J'étais bien. Elle aussi. Puis Tarzan s'est réveillé. Nous avons entendu ses pas, des pas qui réveillent les marmottes et les reines, des pas qui frappent fort le sol, des pas qui veulent nous faire savoir que c'est lui, Tarzan, que c'est lui le roi de la jungle. La reine s'est fanée. Elle a perdu la lumière dans ses yeux.

Je me suis approché d'elle. Puis, doucement, en silence, j'ai enjambé la fenêtre pour redescendre. Avant de partir, je lui ai dit à l'oreille :

— J'ai vu les Chinois. Ying ! Yang ! La prophétie.

Devant moi, sa figure est devenue une rivière. Une rivière de larmes qui coulaient à travers son sourire. Elle a mis ses mains sur ma figure, sur mes joues. Elle me tirait vers elle. Elle me tirait vers sa tête de reine sans couronne, vers sa bouche, vers ses lèvres. Elle a déposé un baiser sur mon front, puis elle a dit :

— T'es mignon avec le nez cassé !

J'ai répondu :

— C'est la marque de la jungle, la marque de l'amour.

— Tu vas me manquer, qu'elle m'a dit.

— Oui, je sais, que j'ai répondu avant de perdre l'équilibre, de tomber et de m'écraser comme une tarte.

22

Tarzan m'a rendu la liberté après deux journées de pénitence. Il m'a dit que je pouvais sortir à une seule condition. Une condition très précise : aller péter la gueule à Bracagnolo !!!... C'est pas rien, de péter la gueule à Bracagnolo ! D'habitude, c'est lui qui pète la gueule aux autres. Il est vieux, Bracagnolo, beaucoup plus vieux que moi. Il est tellement plus vieux que moi qu'il a de la barbe. Il aime beaucoup s'en prendre aux plus petits. C'est son sport préféré. C'est une vraie passion pour lui. Personne ne peut le battre, c'est le roi. Il est riche aussi. Avec Bracagnolo, tu as deux solutions : si tu es bon à l'école, comme Ti-Guy Ratatouille, tu fais ses devoirs ; si tu es inutile, comme la plupart des écoliers, tu lui donnes de l'argent. Deux solutions pour garder ses dents longtemps. Ça dépend du nombre de bonbons qu'il veut. Plus il a faim, plus tu paies. Il ne mange que des bonbons, Bracagnolo. Toutes ses dents sont brunes. Un jour, je lui ai dit :

— T'as les dents brunes parce que t'es un mangeux d'marde, Bracagnolo !

Il m'a attrapé et m'a lancé par-dessus la clôture de l'école. Après, il a ri. Il dit que je suis un p'tit morveux. Il aime ça, les p'tits morveux. Ça lui rappelle comment il était avant de devenir un monstre. Il sait que je suis pauvre, que je suis nul à l'école et que je n'ai pas peur de recevoir des coups sur la gueule. Alors, il me fiche la paix. Mais parfois, quand je suis en travers de son chemin, il me botte le cul. Et là, maintenant, c'est moi qui dois lui péter la gueule.

— Je l'ai vu, il a ri de ton frère. Tu sais quoi faire, ti-gars ? Déçois pas ton père ! qu'il m'a dit, Tarzan.

J'ai figé. Je crois que j'aurais préféré demeurer en pénitence. Je devais y aller maintenant. Tout de suite. Sans préparation et, surtout, sans Rintintin. Avec mon Rintintin, la chose se serait faite très vite. « Une passe, une passe, une passe et c'est le but !!! » Comme Lâké. Mon frère de la planète des fruits me regardait dans les yeux. Il y avait une larme qui coulait sur sa joue. Normal, juste à côté, Lapute tranchait des oignons. Tarzan a ajouté :

— Vas-y, pis dépêche, ti-gars ! On mange dans une heure !

Les marmottes n'aiment pas travailler sous pression, c'est mauvais pour les nerfs. Je pense que les marmottes préfèrent les sorcières aux Bracagnolo. C'est difficile à croire, mais c'est comme ça. Les Bracagnolo habitent au centre de la ville et, derrière leur maison, ils ont une cour à scrap qui s'appelle Les Métaux Bracagnolo. Tout le monde appelle ça « la dump à Bracagnolo ». Il y a plus de crasse que de métaux là-dedans. Je suis entré dans la cour en sautant la clôture. Je me suis fait mal à la jambe. Ce sont des clôtures construites exprès pour que personne ne puisse passer au-dessus. Personne, sauf les marmottes. Rien ne peut arrêter une marmotte. Je saignais mais ce n'était pas grave, c'était comme une blessure de guerre.

Je me suis caché dans une vieille automobile à la carrosserie toute rouillée. Bien étendu sur le siège avant, je pouvais presque tout voir par un trou dans le métal de la portière. Les marmottes savent repérer les bons trous. Après tout, c'est leur métier, dénicher les trous. J'ai aperçu Bracagnolo. Il était assis sur une balançoire et il jouait à la poupée. J'ai failli perdre connaissance. Bracagnolo jouait à la poupée ! Il était seul et il chantait une berceuse à sa poupée. J'ai failli exploser de honte. Je m'étais fait botter le cul par un gars qui joue à la poupée dans une cour à scrap !!! Puis sa mère l'a appelé :

— Viens souper, mon poussin, c'est prêt !

Quoi ? Mon poussin ? Bracagnolo ? Mon poussin ??? Depuis quand les marmottes se font botter le cul par des poussins ? C'est pire que se faire battre par une fille. C'est pire qu'être une fille. Bracagnolo a déposé sa poupée sur une petite chaise et s'est dirigé vers la maison. Juste avant qu'il passe la porte, je l'ai vu ! Mon cœur s'est mis à battre comme un cheval au galop ! Mon sang s'est glacé d'un coup ! Oui, c'était bien lui : Rintintin, mon fidèle compagnon ! Il était pendu à la ceinture du poussin, fier comme je l'ai toujours connu. Le regard de Rintintin a croisé le mien. Rintintin a souri. Je lui ai fait un signe de la tête. Il a tout de suite su que je le sauverais.

Je suis vite sorti de ma cachette, j'ai saisi une vieille barre de métal rouillé que j'ai cachée derrière mon dos et j'ai crié :

— BRACAGNOLO !!! MON POUSSIN ! VIENS FAIRE FACE À TON DESTIN !!!

Derrière la moustiquaire de la véranda, il s'est retourné d'un seul coup. Debout à côté de la petite chaise, j'ai empoigné sa poupée par les cheveux et je l'ai soulevée pour qu'il la voie bien. Dans une main, j'avais la poupée et, dans l'autre, derrière mon dos, la barre de métal. En souriant, je lui ai dit :

— Donne-moi le couteau, fillette, et ta poupée aura la vie sauve !

Il ne savait pas quoi dire ni quoi faire. La surprise se lisait sur sa figure. J'ai répété :

— Donne-moi le couteau ou je décapite ta salope de poupée de merde.

Il a eu un mouvement de poussin qui se fâche. J'ai ri en ajoutant :

— T'es une tapette, Bracagnolo ! Si tu bouges encore, je lui arrache les yeux avec mes dents. Écoute-moi bien, grosse lavette ! Tu vas prendre le couteau à ta ceinture, tu vas ouvrir doucement la porte et tu vas le lancer à mes pieds. Fais-le ! Tout de suite !

Il l'a fait. J'ai entendu sa mère lui répéter :

— Alors, mon beau garçon, tu viens ?

— Réponds ! Vite, réponds ! que je lui ai dit.

— J'arrive, maman ! J'arrive ! qu'il a répondu.

Puis, il m'a dit :

— Si tu brises la poupée de ma sœur, je t'arrache la tête !

En ricanant, j'ai déposé la poupée par terre et, en la tenant toujours par les cheveux, je lui ai écrasé les jambes avec mon pied et j'ai tiré brusquement. D'un seul coup, je lui ai arraché la moitié du corps. Le gros Bracagnolo a poussé un cri de mort ! Il est sorti de la maison en courant et a bondi sur moi ! La barre de fer a frappé sa tête comme une balle de baseball. Il est tombé sur le dos, le front en sang. Pour être bien certain, je lui ai donné quelques coups de pied dans le ventre et je lui ai dit :

— Tu ris encore une fois de mon frère de la planète des fruits et je te fais la même chose qu'à ta poupée, c'est compris, mon poussin ?

Il avait les larmes aux yeux, le gros Bracagnolo. J'ai ramassé Rintintin et nous nous sommes sauvés.

Quand je suis revenu à la maison, Tarzan m'a demandé :

— Tu t'es bien amusé, ti-gars ?

J'ai répondu :

— Oui, Tarzan.

Puis il a dit :

— Va te laver. Tu mangeras plus tard en écoutant Lâké.

La reine est montée dans sa chambre en pleurant.

23

Il est beau, mon frère. Il est beau comme un fruit bien mûr. C'est un fruit qui ne pourrira jamais. Il est trop saint pour pourrir, mon frère. C'est un saint de la planète des fruits. Inri lui parle souvent. Je le sais parce que chaque fois il change de figure, mon frère. Lorsque ça lui arrive, il sourit, puis, comme s'il était ébloui par quelque chose, il baisse la tête. Inri vient prendre de ses nouvelles, il lui demande comment il va. Mon frère ne répond jamais avec des sons. Il ne parle pas avec sa bouche, il parle avec ses yeux. Inri et lui se comprennent, c'est ce qui compte. Ils discutent de la planète des fruits, des nouvelles récoltes, des nouveaux fruits qui poussent, des anciens fruits qui sont maintenant devenus des arbres. Si Inri me parlait, à moi, il serait obligé de parler marmotte. On ne pourrait pas parler de la planète des fruits, je ne connais rien là-dessus. Une fois par mois, Inri parle à mon frère. Moi, je m'en fous un peu, je suis habitué. C'est toujours dans sa petite chambre que ça se passe. Mon frère de la planète des fruits insiste toujours pour que je sois là. Il me regarde et fronce les sourcils. Ça marche à tous les coups. Chaque fois, j'y vais. Une fois par mois, toujours le matin, il me réveille. C'est toujours avant que le soleil se lève, avant que Tarzan se lève.

Il est drôle, mon frère de la planète des fruits. Excepté moi, c'est comme si personne ne s'occupait vraiment de lui. Quand je ne suis pas avec lui, c'est lui qui est avec moi. Quand je veux être seul, je suis obligé de l'attacher parce que, sinon, il me suit partout. Je ne peux pas faire deux pas sans l'avoir dans les jambes. D'habitude, je l'attache à un cèdre. Je le laisse là. Il est toujours content. Il ferme ses yeux et il respire bruyamment jusqu'à ce que je le détache. Je mange comme mon frère respire lorsqu'il est attaché. Il respire comme un affamé. Sur la planète des fruits, je pense qu'il n'y a pas d'air.

C'est drôle parce que les animaux aiment beaucoup mon frère. Quand je reviens le détacher, il a souvent un oiseau ou un écureuil sur la tête. Lui, il respire et il sourit pendant que l'oiseau chante. Mon frère a une grande vallée à l'intérieur de lui.

C'est une vallée où il y a toujours du soleil et des cascades d'eau. Il court à l'intérieur de lui-même, mon frère, il court. Sa respiration fait du vent dans sa vallée. Dans son corps, il possède un petit morceau de la planète des fruits, un petit morceau de son vrai pays. C'est un autre espace, un autre monde. Il doit sûrement y avoir des montagnes, des rivières et des millions d'arbres pleins de fruits. Quand il ferme les yeux, c'est comme quand il baisse la tête devant Inri. Il n'est plus là. Il est ailleurs. Il est dans sa vallée. Moi, quand ces choses-là arrivent, je le laisse tranquille et je me coupe les ongles. Quand Inri vient dans sa chambre, je me décrotte souvent les orteils. Pour une marmotte, c'est un bon moment pour faire sa toilette. Ça fait passer le temps. Je ne sais pas pourquoi mon frère a tant besoin de moi pour parler à Inri. Après tout, je ne sers à rien. Il veut absolument que j'y sois, alors j'y suis. Je ne vois jamais rien et je n'entends jamais rien. Inri, il est silencieux comme c'est pas possible ! Quand mon frère de la planète des fruits est dans sa vallée avec Inri, je garde sa chambre et je me décrotte les orteils. Je pense que personne ne va la lui voler, sa chambre. Elle est beaucoup trop petite. Même que c'est un ancien placard aménagé. C'est un grand placard transformé en petite chambre. Mais les plus grands placards n'arrivent jamais à rivaliser, même avec les plus petites chambres.

Un placard est un placard, et une chambre est une chambre. Là, il y a de l'espace pour un lit et une commode, c'est tout. Mon frère a une commode, moi j'ai des patates. Chacun ses affaires.

Ça doit être plus plaisant de regarder Inri que des yeux de patates. Après sa discussion avec Inri, mon frère tombe toujours dans les pommes. C'est normal, qu'il tombe dans les pommes, il vient de la planète des fruits. C'est un calembour comme ceux du gros docteur Lamontagne. Une fois vidée de son jus, la poire est dans les pommes. Alors, je cesse de me décrotter les orteils, je le soulève, je l'installe dans son lit et je le borde. Je retourne dans mon trou pour pisser dans mes draps. C'est chaud, le pipi, chaud comme la bière mais pas plus chaud que la reine d'Angleterre. J'ai encore peur des yeux des patates. Ce sont les yeux de la sorcière.

Je me demande bien ce qu'il lui dit, à mon frère, Inri. Je peux essayer de deviner, de me raconter des histoires, mais je ne sais jamais vraiment. Il a des pouvoirs spéciaux, mon frère, des pouvoirs de la planète des fruits. Moi, j'ai des talents de marmotte et, lui, il a le pouvoir des saints fruits. Par exemple, il peut rester des jours sans manger ni se plaindre de la faim. Comme un chameau, il a ses réserves. Des réserves qui sont cachées dans sa tête, dans son jus. Je le sais parce que, juste avant mes deux jours de pénitence, je l'avais attaché à un cèdre et je l'ai détaché seulement après avoir pété la gueule à Bracagnolo. Mon frère est demeuré deux journées entières attaché sous le soleil et les étoiles. Quand je suis revenu, il riait. Il avait deux écureuils sur lui et plein d'oiseaux au-dessus de la tête. Il passe inaperçu, mon frère. Pendant tout ce temps, il n'était pas à la maison et personne ne s'en est rendu compte. Personne n'a posé de questions. Moi, si je suis en retard de cinq minutes, c'est la panique dans la cabane ! Tout le monde se demande ce que je peux bien faire encore. Lui, il passe inaperçu. Parfois, j'ai l'impression qu'il est comme mon ombre.

24

Rintintin a fait un très long voyage. Un interminable voyage dans le monde entier. Il est revenu pour me retrouver, pour me voir. Il est revenu parce qu'il s'ennuyait de moi. Il aurait pu choisir de continuer son chemin, il aurait pu choisir de m'oublier pour se refaire une vie chez les Espagneuls aux grandes oreilles ou chez les blôkes à la tête carrée. Rintintin savait que je l'attendais. On ne peut pas vivre l'un sans l'autre. C'est ça, l'amour. Il sait que je suis son maître, il sait que je le contrôle, il sait que je l'aime.

Tous les soirs, avant de m'endormir, il me raconte son voyage. Pendant que je l'écoute, je n'entends pas le souffle de la sorcière et je ne vois pas ses yeux de patate qui me regardent. Je me laisse porter par les extraordinaires aventures de mon Rintintin. Avant de revenir, il a fait le tour du monde. La meilleure façon de revenir au point de départ, c'est de faire un tour complet. Quand on fait un tour intégral, on repasse exactement à l'endroit d'où on est parti. On revient au point zéro. Zéro, c'est aussi un cercle, un tour complet. On fait toujours les mêmes cercles dans la vie, on refait toujours la même chose. Les marmottes font toujours la même chose.

Rintintin a vu les Tas-Unis. C'est un grand pays. C'est un pays qui ressemble à un casse-tête. Là-bas, quand les gens ne t'aiment pas, ils te cassent la tête. Ils ont toutes sortes de façons de te casser la tête, aux Tas-Unis. Là-bas, tu es toujours libre de faire tout ce que tu veux, pourvu que la liberté soit d'accord. C'est un beau pays, les Tas-Unis. Quand tu arrives aux Tas-Unis, tu n'es rien. Tu commences par te faire casser la tête et si tu trouves le gros bout du bâton, tu donnes des coups sur la tête des autres. Après quelque temps, on peut devenir la liberté pour dire aux autres quoi faire. C'est dur à comprendre. J'imagine qu'il faut avoir mis les pieds aux Tas-Unis pour vraiment comprendre ce que Rintintin m'explique. Un jour, j'irai casser des têtes là-bas. J'irai avec lui, nous irons faire la guerre aux kawishs. J'espère qu'ils seront nombreux.

Après les Tas-Unis, Rintintin est allé au M'excite. Les gens dorment toujours, dans ce pays-là, et ils ont des grands chapeaux qui leur servent de maison. Ils parlent le caramba. C'est une langue qui fait danser les dents. Comme quand on a du pâté chinois chaud dans la bouche. Puis Rintintin est parti du M'excite pour aller de l'autre côté. De l'autre côté, il y a la France. C'est une dame qui s'appelle France qui dirige la France. Elle avait un mari, mais elle lui a coupé la tête. Ça, je le sais parce que je l'ai appris à l'école. Elle, ce n'est pas un casse-tête mais un coupe-tête. La France, c'est la mère patrie. Les habitants du pays sont ses enfants. C'est une grosse famille. Tous les garçons s'appellent François et toutes les filles s'appellent Francine. Il y a aussi quelques Louis, mais ils sont plus rares. Quand tu cries : « Salut, François ! », tous les garçons se retournent pour te dire bonjour. Je ne sais pas comment ils font pour deviner qui est qui lorsqu'ils s'appellent les uns les autres. C'est peut-être pour ça, pour mieux les distinguer, que leurs prénoms ont des numéros comme XIV ou Ier. Le plus connu de tous les François est François Ier. Le plus connu de tous les Louis est Louis XIV. Rintintin dit qu'ils ne se comprennent pas, que tout le monde parle toujours en même temps sans jamais écouter les autres. C'est pour ça qu'ils ont tous toujours raison. Un jour, quand Rintintin a voulu trancher une question — un couteau qui tranche une question, c'est un calembour que le gros docteur Lamontagne aimerait bien —, donc, un jour, quand Rintintin a voulu trancher une question, ils l'ont jeté dans des cabinets à la turque et il est arrivé en Turquie.

En Turquie, tout le monde a une tête de Turc. Rintintin n'est pas resté longtemps là-bas. Toutes les maisons sont construites en tapis Turquie. Je ne sais pas ce que c'est, mais Lapute rêve d'en avoir un. Elle dit : « On devrait acheter du tapis Turquie, ce serait beau dans la maison. » Et Tarzan répond : « Fourre-toi-le dans l'cul, ton criss de tapis ! » Parfois, il ajoute : « Avec tout ce que t'as déjà eu dans l'cul, y devrait pas avoir de misère à rentrer, ton ostie de tapis ! » Je ne sais pas à quoi ça peut servir, de se mettre un tapis dans le cul, mais si Tarzan en achète un, je pourrais voir de quoi ça a l'air, un tapis dans le cul de Lapute. Elle va avoir des problèmes pour mettre sa jupe.

Ensuite, Rintintin a creusé la terre jusque chez les Chinois. Tout le monde me connaît là-bas. Les Chinois lui ont fait une fête grandiose, à Rintintin. La reine était là. Elle lui a demandé de mes nouvelles. Il lui a dit que je m'étais pris deux jours de pénitence, mais que la prophétie se réaliserait bientôt et qu'elle serait libérée de Tarzan. Rintintin dit que la reine semblait contente. Ils ont mangé du blé d'Inde comme des vrais « maudits cochons ». C'est drôle, ça, « maudits cochons ». Ensuite, ils ont bu de la baboche toute la nuit. Rintintin a dû défendre son honneur de canif contre un vrai sabre de guerre. Le sabre disait que rien au monde ne pouvait le battre. Rintintin a relevé le défi et lui a planté sa lame dans le manche. Le sabre chinois a tout de suite compris à qui il avait affaire. Il est parti la tête basse en demandant pardon à mon canif de l'avoir défié. Confiant, Rintintin a baissé sa garde, et le traître de sabre lui a donné un coup dans le côté. C'est pour ça que, maintenant, Rintintin a une grande marque dans son joli plastique rouge. Il a bien pensé mourir mais, rapide comme l'éclair, il a sorti sa petite lame secrète, celle qui est placée en dessous de lui et qui est toujours difficile à tirer. D'un seul coup, il a tué le sabre. L'autre n'a jamais eu le temps de comprendre ce qui lui arrivait. Il est tombé raide mort. « Une passe, une passe et c'est le but !!! » Tous les Chinois ont acclamé Rintintin en lui demandant de leur livrer son secret. Tout ce qu'il a répondu, c'est :

— Mon secret, c'est mon maître. Mon secret, c'est Marmotte. C'est lui qui m'a tout appris.

Ils l'ont installé au four, dans un pâté chinois, pour qu'il se repose. Entre le blé d'Inde et les patates, Rintintin s'est endormi et s'est réveillé sur la table de Bracagnolo. Bracagnolo a un passage secret dans son four. Tout ce que cuisinent les Chinois se retrouve chez lui. C'est pour ça qu'il mange tout le temps, Bracagnolo. Il ne pouvait pas le savoir, Rintintin, qu'il s'était fait piéger.

Ensuite, Rintintin a été obligé de suivre Bracagnolo partout et de jouer à la poupée avec lui. Quelle misère ! Finalement, je suis arrivé et je l'ai sauvé. Voilà toute l'histoire de Rintintin pendant notre séparation. C'est presque toujours la même histoire sauf que, de temps en temps, il me raconte qu'il est aussi allé en Afrique pour travailler avec Tarzan ou bien encore qu'il était devenu le chef d'un groupe de barbares qui font brûler vivants des beaux-parleurs-petits-faiseurs. Parfois, aussi, il me dit qu'il a rencontré une cuillère à soupe qui veut l'épouser pour qu'ensemble ils élèvent toute une famille de cuillères à thé. Le gros docteur Lamontagne dit qu'une cuillère à thé, c'est une cuillère qui ne croit pas en Dieu. Il dit que j'ai de l'esprit. Alors, je ris aussi. Les marmottes ne comprennent jamais rien.

De toute façon, chaque fois que Rintintin me raconte ses aventures, il finit toujours par arriver dans le four de Bracagnolo en passant par les Chinois. Les marmottes font toujours la même chose, les Rintintin aussi.

25

Elle est revenue me parler. Je l'ai vue dans les patates. J'ai vu ses yeux. J'ai vu ses longs yeux qui me regardaient, qui me fixaient. Puis, doucement, elle est apparue. Les patates ont bougé. Les patates se sont placées pour former sa figure. C'était elle ! C'était la sorcière ! J'ai vu ses rides, ses grosses joues et sa verrue sur le nez. J'ai fait pipi dans mes draps. Elle m'a dit :

— Gros lâche, tu mouilles encore ton lit ?

Puis elle s'est mise à rire. J'ai vu quelques dents. Des dents sales et croches dans une bouche noire comme mon trou la nuit. Des dents pourries par la mort. J'étais paralysé dans mon pipi. Je ne pouvais même plus respirer. Elle a pris son temps, la sorcière, avant de me parler de nouveau. C'était un plaisir pour elle de me faire peur, de me regarder avec ses yeux de patate, avec ses yeux blancs sans pupille. Ça creuse, les sorcières. Rien ne peut les arrêter. Je leur avais dit aussi de la mettre dans un coffre en fonte ! Personne ne m'écoute jamais ! Personne n'écoute les marmottes.

— Tu es un gros lâche… Ils vont venir te chercher pour t'arracher les ongles… Tu es un sale petit monstre qui mérite de souffrir et de mourir… Tu vas venir me rejoindre dans la terre… Nous allons passer l'éternité ensemble… Tu as fait trop de bêtises… Ils vont venir te faire souffrir, tous ceux que tu as tués… Ils vont venir t'étouffer dans ton lit plein de pipi… Le kawish, monsieur Boudin et les Chinois. Tous les Chinois que tu as croqués vont revenir… Ils vont te planter leurs longues baguettes dans la peau… Ils vont te faire hurler de douleur… Les Chinois vont te faire cuire lentement dans leur four… Tu vas finir dans la bedaine de Bracagnolo, gros lâche… Le poussin va te digérer… Ça te fera mal ! Plus mal que la verge, plus mal que le respect… C'est moi qui dirige tout, c'est moi qui dirige les opérations pour te faire du mal… Je vais revenir… Tu vas sentir ma respiration dans ton cou… Je t'ai promis de revenir… Je suis presque revenue… Je suis tout près… Je te regarde, gros lâche !

Quand elle me parle, la sorcière, c'est difficile après d'avoir une bonne nuit de sommeil. Maintenant, elle me parle tous les soirs et même plusieurs fois par nuit. J'aurais besoin d'un autre trou. Je sens toujours sa présence, son souffle. Je sens son regard sur moi. J'ai beau me cramponner à Rintintin, mais, lui aussi, il commence à avoir peur. Rintintin sait qu'il ne peut rien faire contre une morte, qu'il ne peut rien faire contre un pouvoir de sorcière. Personne ne peut rien contre elle. Il faut prendre une décision, il faut que la prophétie se réalise. Marmotte doit prendre les choses en main maintenant. Il faut creuser un trou ailleurs. Il faut creuser. Creuser pour s'échapper, creuser pour vivre. Je vais demander de l'aide à mon frère de la planète des fruits.

26

Les turbateurs étaient en ville aujourd'hui. Nous avons pété la gueule aux blôkes de la rue Maple. J'aime ça, péter la gueule aux blôkes. Les blôkes sont des chiens sales. Ce n'est pas moi qui le dis, c'est Tarzan. On ne peut jamais se fier aux blôkes. Dès que tu as le dos tourné, ils te plantent un couteau entre les hommes aux plates. On ne peut pas faire confiance aux blôkes. Le samedi, les turbateurs vont souvent à la chasse aux blôkes. C'est moi le chef des turbateurs parce que je suis le père turbateur. Les marmottes aiment se battre. Je suis aussi le chef parce que j'ai Rintintin, mon fidèle compagnon. Les autres turbateurs me suivent. Il suffit que je dise : « Bon. Goddamfuckinfrench ! » pour que tous les turbateurs crient d'une seule et même voix : « YES !!! Les blôkes ! Les blôkes ! Les blôkes !!! »

Les blôkes, ce sont des gens qui ne savent pas parler. Ils crient toujours : « Goddamfuckinfrench ! » quand ils nous voient arriver. Un blôke, ça habite dans une grosse maison de la rue Maple. Un blôke, c'est toujours bien habillé. Même à l'école, ça porte une cravate et un veston. Un blôke ne comprend jamais rien quand tu lui parles. De toute façon, il ne faut jamais que tu lui parles, il faut que tu le frappes. Un blôke se promène toujours la tête haute. Un blôke ne prend jamais l'autobus. Un blôke se déplace toujours dans une grosse automobile qui essaie de t'écraser quand tu traverses la rue. Un blôke, ça exploite toujours les goddamfuckinfrenchs. Un blôke, ça sent toujours le parfum. Un goddamfuckinfrench, ça sent toujours la merde. Moi, je suis un turbateur de goddamfuckinfrench de merde et j'aime ça.

Avec moi, il y avait Rintintin, mon fidèle compagnon. Il y avait aussi le gros Bracagnolo. Normalement, nous sommes des ennemis, surtout depuis l'histoire de la poupée, mais contre les blôkes nous sommes des amis. Il y avait aussi les frères Boisvert. Ce sont des vrais crétins comme c'est pas possible mais, avec une batte de baseball, ils font des miracles. Avant son accident dans l'escalier, nous amenions de force Ti-Guy Ratatouille. Il servait de bouclier pour fatiguer les blôkes. On le lançait devant pour ensuite se cacher derrière. Il nous a beaucoup manqué aujourd'hui. Avec nous, il y avait aussi Pierrot Saint-Onge. C'est le roi du sling shot. Il est capable de toucher un blôke dans le front à trente pieds de distance. Il a même un sling shot double qu'il a fabriqué avec un soutien-gorge de sa mère. Toute la journée, il s'entraîne à tirer sur de vieilles boîtes de conserve. Il s'entraîne aussi sur les vitres de l'école, mais ce qu'il aime par-dessus tout, c'est tirer sur les filles. Les filles, c'est un peu comme les blôkes, elles se sauvent en courant et en criant. Pierrot aime beaucoup les cibles qui bougent. L'autre jour, il a tiré sur une automobile et il a causé un accident. Ce n'était pas grave, c'était une automobile de blôke. Quand le père de Pierrot l'a su, il a raconté l'accident à tout le monde. Il était fier de son fils. Les policiers sont arrivés sur les lieux de l'accident, mais il n'y avait que les frères Boisvert comme témoins. Et les frères Boisvert ont fermé leur gueule. Le blôke a changé de voiture. Je pense que c'est ce blôke-là qui essaie toujours de nous rentrer dedans quand il nous voit dans la rue. Ils sont rancuniers, les blôkes.

Aujourd'hui, il y avait aussi Ti-Caille du quartier Lévis. Ce quartier-là, on l'appelle aussi « le petit Chicago ». Al Capote, c'est lui. Il se prend pour le chef de son quartier. Il sniffe de la colle. C'est lui qui a la meilleure colle en ville. Il vit seul avec sa mère. Son père est commis voyageur. Ti-Caille a des frères et des sœurs dans tout le pays. Quand son père sème sa graine, il pousse un enfant. Je ne sais pas ce que ça veut dire, mais je vais demander au gros docteur Lamontagne. Ti-Caille a toujours plein de filles autour de lui. C'est parce qu'il est beau et que les filles aiment ça. Quand il est fatigué d'elles, il le dit à Pierrot Saint-Onge qui les chasse au sling shot. Moi, je ne m'intéresse pas aux filles. Elles disent que je suis un malade. Moi, je leur réponds que je suis une marmotte. Ça fait beaucoup rire Ti-Caille. Ti-Caille me demande souvent des nouvelles de la reine d'Angleterre. Je ne prends pas de risques pour elle, je réponds toujours qu'elle est morte. Si Ti-Caille touche à la reine, je le tue. Comme le kawish. Puis, finalement, il y avait aussi Pilou Tessier avec nous. Lui, il vole du soufre. C'est un spécialiste des bombes. Dans sa chambre, il fabrique des bombes avec le soufre qu'il a volé. Il est capable d'en faire des grosses qui font exploser des chats. Je le sais parce que je l'ai vu. C'était mon idée. Nous avons fait exploser le chat de la vieille madame Smith. C'était un chat de blôke. La vieille est morte de chagrin deux jours après. C'était une bonne idée. « Une pierre, deux coups. » C'est Pilou qui a dit ça. En voyant le corbillard passer avec madame Smith dedans, il m'a regardé et a dit : « Une pierre, deux coups. » J'ai beaucoup ri. C'est encore mieux que le sling shot de Pierrot, ça. Les marmottes adorent faire une pierre deux coups. Quand les turbateurs sont en ville, je m'amuse beaucoup.

Tous ensemble, nous nous sommes approchés du parc de la rue Maple. Pour se rendre au parc sans se faire remarquer, nous marchions la tête haute. On avait l'air de vrais blôkes. Dans le parc, il y avait un petit groupe de quatre blôkes qui jouaient à un jeu de blôkes. Nous étions dans les bosquets, de l'autre côté des clôtures qui longent les balançoires du parc. Nous devinions que le combat serait difficile. C'était notre peau ou la leur. Rapidement et discrètement, j'ai fait un signe à Pilou. Il a tout de suite compris. À plat ventre, il a doucement rampé jusqu'à l'entrée du parc. Avec du fil de fer, il a fixé une bombe sur chacun des deux poteaux de l'entrée. C'était beau, de le voir travailler. Rapide comme l'éclair, il est revenu à son poste tout près de nous. Pilou avait dans ses mains deux grandes mèches prêtes à être allumées dès qu'il aurait mon signal. Nous nous sommes déplacés afin de nous poster tout autour du terrain de jeu des blôkes. Nos ennemis n'avaient encore rien vu. Pilou, sur le côté droit ; les frères Boisvert, Ti-Caille, Pierrot et moi à l'arrière ; puis Bracagnolo sur le côté gauche. C'était comme en Normand dit. Sans Ti-Guy Ratatouille pour prendre les premiers coups, notre stratégie se devait d'être différente des autres fois. Nous devions surtout compter sur l'effet de surprise, c'était notre avantage.

Tout à coup, le gros Bracagnolo — notre commando spécial — a attaqué seul le petit groupe de blôkes. Il a sauté la clôture et a foncé droit sur eux. Deux coups de poing et il y en avait déjà un qui saignait du nez et qui pleurait. Les trois autres blôkes se sont jetés sauvagement sur Bracagnolo, mais il semblait avoir le plein contrôle de la situation. Le blessé s'est sauvé pour aller chercher du rang fort. Ils ne sont pas capables de se battre à la loyale, les blôkes. Bracagnolo avait presque eu raison des trois sauvages lorsque, soudain, la première vague de fritz est arrivée en rang fort avec le blessé en tête. Lorsque je joue à Normand dit, les blôkes deviennent des fritz. C'est à cause des fritz que mon oncle Arsène est mort quand il voulait sauver les monsieur Boudin en Normand dit. Quand je fais la guerre, je suis aussi un héros et je combats des fritz, pas des blôkes. Nous sommes au débarquement de Normand dit. L'action est en noir et blanc, et tout est filmé sur une vieille pellicule qui saute quand elle est projetée sur l'écran. Action !

Le brave Bracagnolo tirait sur les fritz avec sa mitraillette. Malheureusement, son chargeur s'est enrayé. Il ne pouvait plus se défendre. Avant de mourir, il a crié de toutes ses forces :

— VOUS DIREZ À MA MÈRE QUE JE SERAI EN RETARD POUR LE SOUPER !!!

Puis il est tombé raide mort, criblé de balles ennemies. Au même moment, une deuxième vague de fritz en furie arrivait en rang fort. À mon signal, les bombes ont explosé. Pilou avait bien fait son travail. Les bombes ont eu pour effet de ralentir les fritz. C'est ce que j'avais prévu. Les frères Boisvert, lourdement armés, en ont profité pour se lancer sur nos ennemis. Le sang giclait partout. C'est fou, ce que ces deux gars-là peuvent accomplir au combat. Des vraies têtes brûlées ! De son côté, Pierrot bombardait les fritz avec son canon à deux boulets. L'odeur de la poudre excitait ses sens. Il y avait des morts partout. Les fritz qui faisaient partie de la deuxième troupe de rang fort étaient nombreux. Au moins dix fois plus nombreux que nous. Je suis entré dans l'action avec Ti-Caille à mes côtés. Armé de Rintintin comme baïonnette de combat corps à corps, j'ai tué cinq ennemis d'un seul mouvement ! Debout sur une glissoire, Pierrot avait changé sa position d'attaque et bombardait toujours sans relâche les fritz. Ti-Caille, lui, se battait avec son arme préférée : une bombonne de peinture en spray. En allumant son briquet devant le jet de peinture, il obtenait un puissant lance-flammes. Nous avions un net avantage sur nos ennemis. Le sang des fritz se mêlait à celui du gros Bracagnolo qui se vidait abondamment. Nous pouvions voir la panique dans le visage des fritz. Ils n'en croyaient pas leurs yeux. Ils s'étonnaient de voir notre si petite troupe maîtriser de main de maître une situation qui aurait dû être à leur avantage. Je criais ! Je tuais ! J'étais bien. Je sentais que j'étais vivant et je me suis même surpris à crier :

— Nous pillerons leurs maisons et nous prendrons leurs femmes ! Courage ! Les turbateurs sont en ville !!!

Les choses ont commencé à mal tourner quand Pierrot est tombé de la glissoire et s'est écrasé, la tête la première, sur le sol. Les fritz se sont jetés sur lui comme des tigres. Pierrot se défend assez mal avec ses poings ; il s'est fait étrangler rapidement. Ensuite, le lance-flammes de Ti-Caille a explosé en le brûlant au quatrième degré mais, aussi, en blessant plusieurs ennemis. Comme Ti-Caille tentait de se sauver, un éclat de grenade l'a touché derrière la tête. Il ne s'est jamais relevé. Les frères Boisvert étaient en sueur, mais leur courage n'avait d'égal que leur volonté de lutter pour la vie, pour la patrie. Pilou s'est fait prendre en otage, mais, plutôt que de mourir lâchement sous la torture de nos ennemis, il a avalé la petite pilule empoisonnée que tous les agents spéciaux cachent sous le col de leur chemise. Il nous a quittés dans de courtes mais atroces souffrances.

Ce qui compte, quand on se fait capturer, c'est de mourir le plus vite possible. Les fritz ont toutes sortes de façons de faire causer un type. Le mieux est de se suicider avant de parler. Il ne faut jamais trahir les secrets de la nation. Surtout quand on est sous les ordres de Marmotte.

J'ai crié aux frères Boisvert :

— Partez !!! Tout espoir est perdu ! Ils sont trop nombreux ! Retournez voir vos femmes et vos enfants ! Moi, je reste ! Un capitaine coule toujours avec son bateau !

Ils ont dit :

— D'accord !

Puis ils sont partis. Les frères Boisvert écoutent un peu trop bien les ordres, mais c'est comme ça quand on a un bon commandant. Et le commandant, il se retrouve seul avec la merde sur les bras. Puis, dans un geste héroïque, j'ai voulu me mettre à l'abri en courant derrière la glissoire. Malheureusement, elle m'est aussitôt tombée dessus. Prisonnier du piège de mes ennemis, je suis mort courageusement sous leurs cris et leurs insultes.

— Goddamfuckinfrench !!! goddamfuckinfrench !!! goddamfuckinfrench !!!

C'est là que j'ai connu ma première défaite, que j'ai fermé les yeux pour toujours. Coupez !

À mon réveil, j'étais seul dans le parc. La nuit était tombée. Les lumières de la rue éclairaient les maisons des blôkes. Tout le monde était parti sans me réveiller. J'avais dû perdre connaissance. Les marmottes sont toujours seules après les grands événements de leur vie. Rintintin gisait un peu plus loin dans le sable. Je me suis levé difficilement pour aller le rejoindre. J'avais du sang séché sous le nez, sur les genoux, dans les mains et partout sur mes vêtements. J'étais sale comme une marmotte ; de la terre jusque dans mes sous-vêtements. J'ai rangé Rintintin dans ma poche et je me suis dirigé vers la maison. Pour aller plus vite, je me suis agrippé à un autobus qui passait.

En passant devant la piscine Saint-Marc, j'ai lâché le pare-chocs arrière de l'autobus pour aller passer par le trou de l'immense clôture de la piscine. Je l'utilise toujours quand je veux me baigner sans payer. Les marmottes sont les spécialistes des trous. Je me suis mis tout nu et j'ai sauté dans l'eau. L'eau de la piscine, ça pique vraiment beaucoup quand on a des blessures partout sur le corps. Après un certain temps dans l'eau, ça va, on s'habitue. Les coupures font moins mal. Le repos du père turbateur, le repos du guerrier, le repos du goddamfuckinfrench. C'est bien, d'être un héros. Je fais des bulles. Marmotte.

27

L'été indien, c'est la saison où on retrouve les Indiens. Ils en ont retrouvé un. Toute la ville en parle. Moi, je préfère ne pas en parler. J'étais là quand il était vivant et j'étais là quand il est mort. Personne n'a vraiment besoin de savoir ce que Rintintin a fait. Nous avons fait un pacte, Rintintin et moi, un pacte de silence. Moi, je lui avais dit, à Rintintin :

— Frappe moins fort sur le kawish... Plus doucement, Rintintin... C'est juste pour lui faire peur ! C'est juste pour qu'il ferme sa grande gueule de kawish devant mon frère de la planète des fruits...

Mais il ne m'écoutait pas, Rintintin, il était comme possédé. C'était à cause de la marque de la jungle, la marque de l'amour. Rintintin avait quelque chose à prouver. Le kawish saignait de partout, il criait, il bougeait, il avait peur de mourir. Rintintin ne voulait rien entendre. Sa lame entrait dans la peau du kawish. Elle lui faisait des entailles partout. Comme Rintintin a une assez petite lame, il a fallu plusieurs, mais vraiment plusieurs coups pour que l'Indien comprenne qu'il allait mourir. Il aurait bien voulu que quelqu'un arrive pour le sauver, mais dans le petit bois, à côté des machines qui construisent la route et le pont, ce n'est pas le bruit qui manque. Il n'y avait personne pour entendre le pauvre kawish. Quand il a eu fini de bouger comme un démon, Rintintin a vu qu'il avait les yeux ouverts et qu'il respirait toujours. La solution était simple : le tuer pour ne pas qu'il parle, pour ne pas qu'il ouvre sa grande gueule, parce que Rintintin pourrait aller en prison pour ça. Je ne voulais pas le perdre. À ce moment-là, il n'avait pas encore fait son extraordinaire voyage. Il est mon seul véritable ami, le seul sur qui je peux compter. L'Indien m'a regardé. Il était prêt à mourir. Rintintin est monté haut dans les airs et a plongé directement dans la gorge du kawish ! Le corps a bougé un peu, quelques mouvements, puis plus rien.

J'ai demandé à Rintintin pourquoi il avait fait cela. Pas de réponse, le silence. J'ai compris que c'était aussi de ma faute. Après tout, c'est moi qui lui avais crié :

— ATTAQUE, RINTINTIN ! ATTAQUE !

Dans le feu de l'action, il n'avait fait que m'écouter comme un bon soldat. C'est moi son maître. C'est moi qui lui dis quoi faire. Rintintin est un criminel. Je n'ai pas cessé de l'aimer pour autant, seulement, je sais maintenant de quoi il est capable. Je sais maintenant ce qui bout à l'intérieur de lui. Je sais maintenant que Rintintin est comme une bombe. Si la mèche est allumée, il explose. Je sais que c'est très facile de perdre la tête quand on a la marque de la jungle, la marque de l'amour. Le pire, c'est que je pense que Rintintin a vraiment aimé tuer. Quand je repense à ce moment précis, j'ai des frissons sur tout mon corps de marmotte. Pas la chair de poule de froid ou de peur, non, la chair de poule de bonheur. C'est très, très plaisant, de voir la peur dans les yeux de celui qui va mourir. La vraie peur, elle arrive quand la victime sait que tout espoir est perdu, que toutes les solutions sont épuisées. On peut alors la voir, la peur ; elle danse au fond des yeux du condamné à mort. C'est comme un feu qui danse en riant, un tout petit bonhomme qui gigue au rythme des dernières respirations. C'est lui, le petit bonhomme dans les yeux, qui te donne le signal. Quand le petit bonhomme arrête de danser, c'est parce que le presque-mort a eu le temps de faire une dernière prière, qu'il a eu le temps de revoir sa vie au complet et qu'il a eu le temps de fumer une dernière Scie Garète. Le signe est clair, net et précis. Les yeux du kawish sont devenus brun clair. Comme s'il y avait eu une lumière dedans. Une, deux secondes de lumière, puis la fin. Le petit bonhomme est disparu pour toujours.

J'ai pris son corps et je l'ai transporté jusque dans la petite rivière. Il est parti avec le courant. Je me suis dit que la petite rivière le conduirait à la grande rivière ; la grande rivière, au fleuve ; et le fleuve, à la mer. J'ai pensé qu'il descendrait sans problème comme les billots de bois qui flottent. Mais, malheureusement, il ne s'est jamais rendu jusqu'à la mer. Il s'est perdu en chemin. Le kawish a décidé de rester sur la rive, près des grosses chutes. Il y a quelques jours, des blôkes l'ont trouvé. Il ne faut jamais faire confiance aux blôkes. Dès que tu as le dos tourné, ils te plantent un couteau entre les hommes aux plates. Les journaux ont écrit que c'était un meurtre affreux. Tout le monde en parle. Personne ne comprend pourquoi il est mort. Moi, je le sais, mais je ne peux pas le dire. J'ai fait un pacte de silence avec Rintintin. Il peut me faire confiance. Personne ne saura jamais ce qui lui est vraiment arrivé, au kawish. Personne, sauf mon frère de la planète des fruits. Lui, il sait tout. Il a tout vu dans mes yeux.

28

Dans la vie, il faut mourir pour évoluer. C'est la seule façon de passer à un stade supérieur. Ce n'est pas moi qui le dis, c'est Inri. En fait, Inri l'a dit à mon frère de la planète des fruits qui me l'a répété. Mon frère de la planète des fruits ne me l'a pas vraiment dit, il me regarde et je comprends. C'est beaucoup plus rapide que les mots. Maintenant, il faut que je saute, je n'ai pas le choix. C'est le genre d'épreuves comme en passent les chevaliers de colons. Les chevaliers de colons, eux, sautent une chèvre. Tu es un vrai chevalier de colons si tu réussis à sauter une chèvre sans te faire mordre le cul. Mon rite à moi, il est différent. Il faut que je me suicide et si je survis, je deviens un autre. C'est un passage que mon frère de la planète des fruits et Inri m'imposent. Dans tous les passages, il y a quelque chose qui meurt pour ensuite mieux renaître. C'est comme les serpents qui changent de peau quand ils grandissent. Eh bien, parfois, les marmottes doivent aussi changer de fourrure. C'est haut, c'est vraiment très haut. Je regarde mon frère de la planète des fruits en bas. Il est tout petit. Pas plus grand que mon pouce. Un pouce de marmotte, c'est encore plus petit qu'un pouce de garçon, c'est pour dire ! Il me fait de grands signes, il a hâte que je me suicide. C'est bien d'avoir un frère qui connaît des rituels qui sont bons pour moi.

De l'endroit où je suis, je peux voir, tout autour de la ville, les grandes Scie Garète qui fabriquent des nuages. C'est dans ma ville qu'on fabrique les nuages du monde entier. C'est beau de voir tous ces nuages sous la lune. C'est dommage qu'ils puent autant, les nuages. Ça fait aussi beaucoup de poussière, mais on ne fait pas d'hommes laids sans casser des yeux. Je ne sais pas ce que ça veut dire, mais le gros docteur Lamontagne le dit souvent, alors je le dis. Il y a beaucoup de choses que je ne comprends pas, mais ça ne m'empêche pas de les dire ou de les faire. Par exemple, je ne comprends pas vraiment, non plus, pourquoi je suis là, sur ce plongeoir. C'est mon frère de la planète des fruits qui a insisté pour que je le fasse. Je sais qu'il faut que je saute du plus haut tremplin de la piscine Saint-Marc, habillé avec des vêtements beaucoup trop petits pour moi, une bavette autour du cou, des palmes d'homme-grenouille aux pieds, un chapeau qui appartient à Tarzan sur la tête, un drap blanc qui me sert de cape et une Bible entre les bras. C'est peut-être juste une impression mais, pour la première fois de ma vie, je me sens un peu ridicule.

Il paraît qu'il est très ancien, le rite du passage de l'enfant à l'homme. C'est pour préparer la libération finale de toutes les peurs de l'enfance. C'est ce que mon frère de la planète des fruits m'a fait comprendre. J'ai aussi compris que la cape blanche, c'est pour montrer que mon âme est propre ; la Bible signifie que je crois en Inri ; la bavette et les vêtements trop petits montrent que je suis encore un enfant ; le chapeau de Tarzan, c'est le symbole de mon passage vers une nouvelle vie d'adulte ; et, finalement, les palmes d'homme-grenouille, en ce qui les concerne, c'est plus pratique que symbolique : c'est pour mieux nager. Je dois sauter dans la piscine habillé de cette façon. Si je survis à l'épreuve, c'est parce qu'Inri aura jugé que je le mérite, qu'il me pardonnera tout et que j'aurai vaincu toutes mes peurs. Tout ça d'un seul coup ! Mon frère de la planète des fruits s'impatiente en bas, il s'agite comme s'il avait des vers. Je dois sauter avant que le soleil se lève. Il faut que je sois quelqu'un d'autre avant le lever du jour. Je veux dire qu'il faut faire place à un nouveau Marmotte. Un Marmotte amélioré. J'ai un doute. Peut-être que, en réalité, mon frère de la planète des fruits est fou ? Non. De toutes façons, il faut le faire. Je fais toujours ce que mon frère de la planète des fruits me demande. Le sage, c'est lui. Bon. Je gonfle mes poumons, je me bouche le nez… Je saute !

29

Lapute s'est pendue. Quand je suis arrivé à la maison après le rite, elle était morte. Elle s'est pendue dans une garde-robe avec la seule cravate que Tarzan avait. Je suis devenu une nouvelle marmotte sans mère. Elle s'est pendue parce que le policier est venu la voir. Il lui a posé des questions sur monsieur Moncrisdecav, sur l'explosion de l'horloge, sur Tarzan, sur la reine d'Angleterre, sur tout le monde dans la maison. Elle a craqué. Lapute avait quelque chose sur le cœur, et elle l'a sorti. Elle lui a dit, au policier, que c'était de sa faute si l'horloge avait explosé. Monsieur Moncrisdecav était amoureux de Lapute, il voulait faire sauter Tarzan. Lapute était d'accord. Monsieur Moncrisdecav, c'était l'aimant de Lapute. La seule façon de se débarrasser de Tarzan, c'était de faire sauter l'horloge. Inri ne veut pas qu'on divorce quand on est marié. Il envoie tous les divorcés en enfer. Monsieur Moncrisdecav a mal calculé son coup et c'est lui qui a volé comme un oiseau. Lapute a tout dit au policier parce qu'elle n'en pouvait plus. Monsieur Moncrisdecav était sa seule chance d'avoir une vie avec moins de coups de poing sur la gueule et un peu plus de fleurs sur la table. Lui, il était gentil avec elle. Il lui souriait. Il lui envoyait des bonbons en cachette par l'intermédiaire du gros docteur Lamontagne. Ceux avec de la crème rose au milieu. Il venait même la voir en secret quand Tarzan faisait de l'eau vert time. Je ne sais pas ce que c'est, de l'eau vert time, mais c'est certain qu'il y a un rapport avec « Ta gueule, j'ai fait seize heures ! ». Sans monsieur Moncrisdecav, plus d'espoir. Sans lui, plus de lumière au bout du tunnel. Aussi, elle a dit au policier ce que Tarzan faisait avec la reine d'Angleterre. Elle a dit qu'il sautait sur la reine d'Angleterre et qu'il la retenait prisonnière pour mieux la contrôler, pour mieux l'avoir près de lui. Elle a même raconté à l'inspecteur que c'était Tarzan qui avait tué le kawish et fait brûler monsieur Boudin pour nous montrer à tous ce qu'il allait nous faire si, un jour, l'envie nous prenait de raconter quelque chose à quelqu'un. Elle a tout dit. Je le sais parce que j'ai lu la lettre. Une lettre qu'elle a laissée à la reine, dans sa chambre, et dans laquelle elle explique tout ça. C'est une lettre d'explications et d'excuses en même temps. Pour Tarzan, elle a aussi laissé un petit mot sur la table de la cuisine : « VA AU DIABLE. »

C'est Tarzan qui a trouvé Lapute pendue. Je suis rentré au moment où il la couchait sur le lit. Ensuite, il a vu le petit mot que Lapute lui avait laissé. Tarzan est resté froid comme de la glace en le lisant. Il a souri même. Puis il a verrouillé toutes les portes de la maison, il a barricadé les fenêtres avec des planches, il a saisi son fusil de chasse et il s'est mis à crier :

— Préparez-vous à mourir !!! C'est enfin le jugement dernier !!!

En buvant de la baboche à grandes gorgées, il nous a lancés, mon frère de la planète des fruits, ma sœur et moi, dans mon trou de marmottes. Il a tiré plusieurs coups de fusil près de nous, près de nos têtes ! BANG ! dans les patates ! BANG ! dans la fournaise à l'huile ! Et BANG ! dans la reine d'Angleterre ! Quand, mon frère de la planète des fruits et moi, nous avons vu éclabousser le sang de la reine, nous sommes tombés dans les pommes.

— Pardon… Excusez-moi…

C'était Lapute qui me parlait. Elle était belle comme un rayon de soleil. Elle avait ses grands cheveux bruns dans le vent, des lunettes noires, du rouge à lèvres rouge feu et un magnifique tailleur vert à pois blancs.

La couleur de ses souliers et de son sac allait parfaitement avec la couleur de ses vêtements. À ses oreilles pendaient d'énormes pierres précieuses rouges qui s'harmonisaient avec son rouge à lèvres et, dans son cou, on pouvait voir trois ou quatre colliers de perles blanches comme le savon qui lave plus blanc. Elle conduisait une énorme automobile de blôke. C'était une décapotable rouge feu qui éblouissait à cause des reflets du chrome au soleil. Elle avait une petite écharpe autour du cou et elle souriait, un porte-Scie Garète entre les dents. On aurait dit une actrice américaine. Il y avait une fille à ses côtés que je n'ai pas reconnue tout de suite. L'automobile s'était arrêtée près de mon frère de la planète des fruits et moi. Ma mère a répété :

— Pardon… Excusez-moi…

J'ai regardé mon frère de la planète des fruits, je n'en croyais pas mes yeux de la voir aussi belle. Il avait l'air aussi surpris que moi.

— Je cherche la ville de Gauche. En… en réalité, je vais à la ville de Droite mais je dois apparemment passer à Gauche pour y aller.

J'ai répondu :

— Mais vous êtes à Gauche, belle madame !…

— Oui, je sais… Ce que je veux dire, mon jeune ami, c'est que je cherche la ville de Gauche.

J'ai répété :

— C'est ça, vous êtes à Gauche, belle madame !...

Elle a ri.

— Ha ! ha ! ha !... Je sais : je suis à gauche de ma fille qui, elle, est à droite.

J'ai insisté fortement :

— Non, non et non. Détrompez-vous, belle madame, votre fille est aussi à Gauche !

Elle semblait surprise.

— Mais non, quand même ! Ma fille est à droite !

Comme la belle madame disait que sa fille était adroite, j'ai demandé :

— Et qu'est-ce qu'elle fait dans la vie ?

Je pense que la belle madame s'impatientait :

— Quoi ?... ? Pourquoi ?... Ah oui !... je comprends... Non. Ma fille n'est pas adroite mais elle est à droite, car en réalité elle est très maladroite !

Les marmottes ne comprennent jamais rien, alors j'ai dit :

— Bon, eh bien, si elle est mal à droite, qu'elle s'assoie à gauche, belle madame !

Elle a commencé à crier légèrement :

— Non... Concentrez-vous un peu !... Elle est maladroite parce qu'elle n'est pas adroite. C'est une maladroite à droite ! Pas adroite mais assise à droite ! Une maladroite, assise bien droite, à droite, mais gauche !...

J'ai ajouté :

— C'est ce que je disais, belle madame, votre fille est à Gauche !…

Sa figure s'est teintée d'un beau rouge vif.

— Ça suffit !… S'il vous plaît. J'aimerais bien aller à la ville de Gauche !!!

J'ai dit :

— Je croyais que vous vouliez aller à Droite ?

En rage, elle m'a répondu :

— Regardez-moi dans les yeux ! Je dois trouver la ville de Gauche pour aller à la ville de Droite, n'est-ce pas ?

Comme elle avait raison, j'ai confirmé :

— C'est bien ça, belle madame.

Elle était vraiment fâchée.

— Arrêtez de m'appeler « belle madame », ça m'énerve.

Il fallait que je dise quelque chose :

— D'accord, belle madame…

Les marmottes ne comprennent jamais rien.

Puis elle a crié de toutes ses forces :

— OÙ EST LA VILLE DE GAUCHE ? !!!…

J'ai souri.

— Comme je vous l'ai dit, belle madame, vous êtes à Gauche.

J'étais certain qu'elle allait me tuer.

— Pour la dernière fois, je suis à gauche et ma fille est… elle est… elle est à Gauche… parce… que je suis… également à Gauche, c'est… c'est ça ?

Elle avait compris.

— C'est ça !…

Puis, pour être certaine, elle a répété :

— Ma fille et moi sommes dans la ville de Gauche !

J'étais content.

— C'est ça… Vous êtes à Gauche !… Bon, maintenant, pour aller à Droite, vous tournez à gauche et vous prenez la première à votre droite.

Elle était contente aussi.

— Et quand je reviens de Droite, je tourne à droite et c'est la première à gauche ! Parfait, j'ai compris. Merci beaucoup !

Puis j'ai demandé timidement :

— Avant que vous partiez, belle madame… j'ai une question : la route qui continue après la ville de Droite, où va-t-elle ?

Elle a répondu :

— Au paradis. Justement, j'y conduis ma fille. La pauvre vient de se faire assassiner par son père !

J'avais encore une question :

— Votre fille… voulez-vous lui dire que je l'aime ?

Elle s'est impatientée encore une fois :

— Pensez-vous sincèrement, jeune homme, que nous avons le temps de faire du sentiment ? Vous n'aviez qu'à le lui dire de son vivant ! Voilà ! C'est trop tard maintenant !

Elle est partie avant même que je puisse lui dire au revoir, à la reine. Elle est partie avant même que je puisse lui demander sa main, à la reine. Je l'ai regardée disparaître dans un nuage de poussière. Lapute allait peut-être rejoindre monsieur Moncrisdecav dans une ville quelconque en laissant la reine d'Angleterre au paradis, en passant.

Je me suis réveillé. Mon frère de la planète des fruits aussi. Tarzan marchait de long en large dans la cuisine. À cause de ses grosses bottes, je pouvais facilement entendre son pas lourd frapper le plancher. Mon frère et moi, nous avions fait le même rêve, en même temps. Je me suis rapproché de la reine et je lui ai donné un baiser. Pour la première fois, je trouvais qu'elle avait vraiment l'air complètement heureuse. Je lui ai demandé pardon de ne pas avoir pu changer les choses pour elle. Je lui ai demandé pardon de lui avoir fait de la peine souvent. Les marmottes ne comprennent jamais rien. Je pense qu'elle le savait et qu'elle m'a pardonné, un peu. Je lui ai dit que j'aurais aimé l'épouser et que j'aurais aimé aussi que ses cheveux repoussent. C'est le malheur qui fait tomber les cheveux, c'est le bonheur qui les fait repousser. Je lui ai dit qu'elle était la fille que toutes les marmottes attendent. Je lui ai promis d'aller la chercher au paradis, un jour. Je lui ai promis de lui offrir un trou plein de fleurs, sans patates et sans sorcière. Un immense trou de marmottes qui ressemble à un château. Un château de reine. Un château creusé de mes mains de Marmotte, pour ma reine à moi.

Mon frère s'est mis à pleurer, mais je lui ai dit :

— Arrête, frère de la planète des fruits, les hommes prennent leur destin en main. Ils ne pleurent pas comme un Bracagnolo. La prophétie va enfin se réaliser ! Grâce à toi, j'ai vaincu mes peurs. Je vais tuer Tarzan.

30

J'ai pris Rintintin d'une main et mon courage de l'autre. Mon cœur n'avait jamais battu aussi vite dans ma poitrine. Je voulais tuer Tarzan, je voulais en finir avec lui. J'ai regardé Rintintin et je lui ai dit :

— C'est le coup final, Rintintin ! C'est le coup de grâce !

Je savais que Rintintin était prêt, qu'il était capable de perdre la tête, capable de tuer. C'était comme dans la bande dessinée du Cow-boy-de-l'Espace. Cette ville n'est pas assez grande pour toi et moi, Tarzan ! Je vais t'envoyer six pieds sous terre, je vais te faire manger les vers de terre par la racine du pissenlit ! Prépare ta Scie Garète du condamné à mort, Tarzan. Tu as tué la reine, tu mérites la mort.

En marchant vers lui, je suis tombé trois fois. J'ai fait trois chutes. J'avais mal partout dans mon corps. C'était comme une série de lames de rasoir qui rapidement me tailladaient le ventre, les poumons et la gorge. J'avais envie de pleurer et de vomir. J'ai chuté une première fois quand j'ai vu une larme couler sur la joue de Tarzan. Lui, il ne me voyait pas ; moi, oui. Une grosse larme de crocodile qui coulait le long de ses rides et de sa cicatrice sur la joue. Je voyais le petit bonhomme qui danse dans les yeux des presque-morts. Je voyais le petit bonhomme dans les yeux de Tarzan. Lui qui est normalement si fort, il avait un petit bonhomme qui giguait dans ses yeux pour donner le signal de la fin. C'est là que j'ai compris le cercle visqueux qui est l'éternel retour du pipi. Quand tu mets le pied dans le cercle visqueux, tu glisses toujours. Tu essaies de te relever, mais c'est tellement visqueux que tu tombes sans cesse en te faisant plus mal à chaque fois. Plus ça fait mal, plus tu veux te relever ; et plus tu veux te relever, plus tu tombes et plus ça fait mal. Jamais tu n'y arrives, parce que c'est un cercle visqueux. La peur, le pipi, la verge. La verge renforce la peur, et le pipi renforce la verge. Quand on est dans le pipi, il faut vaincre sa peur pour sortir du cercle visqueux. Tarzan avait, lui aussi, un cercle visqueux qu'il n'était pas capable de vaincre. Il fallait que je sorte une fois pour toutes de mon cercle visqueux en confrontant mon immense peur : mon père. Debout, Marmotte !

Tarzan m'a aperçu et il s'est fâché. Il a pris son fusil et il s'est mis à tirer partout dans la maison. Un fusil de chasse, ça fait des gros trous dans les murs. J'ai eu peur d'avoir aussi un gros trou dans la tête, alors je me suis jeté en boule par terre. Il était devenu fou, Tarzan. Il criait qu'on allait tous mourir, qu'il tuerait tout le monde, qu'il effacerait la misérable vie des gens miséreux que nous étions. BANG ! Un coup dans Lâké. BANG ! Un coup dans l'armoire de la vaisselle des occasions spéciales. D'autres cartouches dans le fusil. BANG ! Un coup dans Lapute qui était déjà morte. BANG ! Un coup dans le plafond. D'autres cartouches dans le fusil. BANG ! Un coup dans le réfrigérateur. Puis... plus rien. Il avait tiré cinq fois et rechargé trois fois, il lui restait une cartouche. Tarzan est tombé assis sur sa chaise, paralysé. J'ai senti sa peur.

Mon frère de la planète des fruits était monté me rejoindre à la cuisine. Il est muet, mais il n'est pas sourd. Il devait sûrement penser que je m'étais pris quelques cartouches dans la gueule. Quand il m'a aperçu, il s'est approché de moi et a épongé la sueur de mon visage avec le linge qui sert à essuyer la vaisselle. Les traits de ma figure se sont comme imprimés dans le tissu. Mon frère de la planète des fruits m'a regardé dans les yeux et, pour la deuxième fois de ma vie, je l'ai entendu parler :

— Dessine-moi un mouton.

Ensuite, il m'a fait un clin d'œil. J'avais saisi. Il venait de me donner une nouvelle arme de bataille, l'arme ultime, une arme plus puissante que les bombes de Pilou ou le sling shot de Pierrot. Mon frère de la planète des fruits s'est caché ; moi, je me suis relevé. Face à mon père.

Je suis tombé pour la dernière fois quand Tarzan a pointé le canon de son fusil dans ma direction. Je me suis aussitôt rejeté par terre, encore en boule. Tarzan était devenu fou, il riait d'un rire de sorcière qui explose en voyant ma peur. Il riait du rire de celui qui a un pouvoir sur l'autre. Je savais qu'il fallait que j'agisse vite, sinon ce serait moi le prochain à avoir un trou de balle quelque part.

Très doucement, je me suis relevé sur mes pattes de marmotte. J'ai pensé aux Chinois qui disaient : « Ying ! Yang ! Voici notre sauveur ! Voici le Grand Marmotte ! » J'ai pensé à la peur qu'éprouvait la reine quand Tarzan montait la voir après Lâké. J'ai pensé à la peur que pouvaient ressentir les blôkes en nous voyant arriver, nous, les goddamfuckinfrenchs. J'ai pensé à ma propre peur en voyant les yeux de la sorcière dans les patates. J'ai pensé à Lapute qui était tombée pour de bon dans le cercle visqueux. J'ai pensé à la peur de Ti-Guy Ratatouille quand il avait vu Rintintin ; celle qui avait fait de lui un légume. J'ai pensé très vite à tout ça et j'ai compris que la marque de la jungle, c'était bien la marque de Tarzan, mais sûrement pas la marque de l'amour. C'est ce que mon frère de la planète des fruits voulait que je comprenne. Je suis une marmotte qui refuse la marque de la jungle. Je refuse la marque de Tarzan. Je passe à l'action.

Je me suis planté directement devant le canon du fusil et j'ai regardé Tarzan droit dans les yeux. Son rire a immédiatement cessé et, avec son poing, il m'a frappé à la figure. J'ai fait un tour complet sur moi-même, je me suis replacé devant lui et j'ai continué à le fixer. Tarzan ne savait plus quoi faire ni quoi dire. Moi, j'étais en train d'utiliser l'arme que mon frère de la planète des fruits m'avait suggérée. C'est une arme absolue qui peut tuer les plus grands et les plus forts. Tarzan a commencé à m'insulter et à me menacer. Je n'ai rien fait d'autre que de continuer à le regarder. Quand il s'est arrêté, j'ai profité d'une seconde, d'une seule seconde de silence pour lui faire exploser le cœur. De ma plus petite voix de marmotte, je lui ai dit :

— Je t'aime, papa.

Il n'a pas bougé tout de suite. Il me regardait, il me fixait. Il m'a fixé comme ça, sans bouger, pendant dix minutes. Ou pendant deux heures. Je ne me rappelle plus.

Je le regardais aussi. J'entendais la respiration de mon frère de la planète des fruits, assis par terre, juste à côté de moi. Il respirait comme quand il est attaché à un arbre avec des oiseaux et des écureuils sur lui. Il me fixait, mon père. Lentement, très lentement, il a retourné le fusil contre lui et il s'est fait exploser la tête.

« Maudit cochon ! » C'est… c'est drôle, ça… « maudit cochon »…

« Une passe, une passe, une passe et c'est le but !!! »

AGMV Marquis
MEMBRE DE SCABRINI MEDIA
Québec, Canada
2002